Virei vegetariano, e agora?

Dr. Eric Slywitch

Médico, mestre e doutor em ciências da nutrição (Unifesp/EPM), especialista em nutrologia, nutrição clínica, parenteral e enteral, endocrinologia e prática ortomolecular

Virei vegetariano, e agora?

Como fazer a transição com saúde e enfrentar o preconceito com bom humor

2ª edição ampliada e atualizada

O texto deste livro foi fixado conforme o acordo ortográfico vigente no Brasil desde 1º de janeiro de 2009.

Este livro é uma obra de consulta e esclarecimento. As informações aqui contidas têm o objetivo de complementar, e não substituir, os tratamentos ou cuidados médicos. Os benefícios para a saúde de uma dieta baseada em frutas, verduras, legumes e sementes são reconhecidos pela medicina, mas o uso das informações contidas neste livro é de inteira responsabilidade do leitor. Elas não devem ser usadas para tratar doenças graves ou solucionar problemas de saúde sem a prévia consulta a um médico ou a um nutricionista. Uma vez que mudar hábitos alimentares envolve certos riscos, nem o autor nem a editora podem ser responsabilizados por quaisquer efeitos adversos ou consequências da aplicação do conteúdo deste livro sem orientação profissional.

Edição: Bia Nunes de Sousa
Revisão: Rosi Ribeiro Melo, Marina Bernard
Capa: Amanda Cestaro
Projeto gráfico: Cesar Godoy
Imagens de capa: Arelix e Anastasia Pechnikova / iStock.com

1ª edição, 2010 (3 reimpressões) / 2ª edição, 2021

Impresso no Brasil

Dados Internacionais de Catalogação na Publicação (CIP)
(Câmara Brasileira do Livro, SP, Brasil)

Slywitch, Eric
Virei vegetariano, e agora? / Eric Slywitch. – 2. ed. – São Paulo : Alaúde Editorial, 2021.

ISBN 978-65-86049-28-2

1. Autocuidados de saúde 2. Hábitos alimentares 3. Nutrologia 4. Promoção da saúde 5. Vegetarianos 6. Vegetarianismo I. Título.

21-66867 CDD-641.35

Índices para catálogo sistemático:
1. Vegetarianismo : Hábitos alimentares : Promoção da saúde 641.35
Maria Alice Ferreira - Bibliotecária - CRB-8/7964

2021
Alaúde Editorial Ltda.
Avenida Paulista 1337, conj. 11, Bela Vista
São Paulo, SP, 01311-200
Tel.: (11) 3146-9700
www.alaude.com.br
blog.alaude.com.br

Dedico este livro a todos os vegetarianos
e aspirantes ao vegetarianismo que
passam ou passarão pelas situações
que descrevo nestas páginas.

SUMÁRIO

INTRODUÇÃO

São muitos os objetivos deste livro. Se você quiser se sentir mais seguro sobre a adoção de uma alimentação vegetariana, ele é para você. Se sua família ou seus amigos não te deixam em paz porque você optou pelo vegetarianismo, há capítulos inteiros sobre como falar com eles. Se os conflitos em seu meio social ficaram evidentes, você encontrará aqui recursos para lidar com isso.

Procuro trabalhar com o vegetarianismo de forma totalmente imparcial, pois, para tomar decisões, é preciso primeiro conhecer os fatos. A decisão de adotar ou não o vegetarianismo é sua. Este livro não tem a intenção de persuadir ninguém, e sim de fornecer ferramentas para que você aprenda a lidar melhor com o assunto, seja no aspecto pessoal, seja em suas relações familiares ou afetivas.

Capítulo 1

DEFINIÇÕES, CONCEITOS E RAZÕES

Ao ouvir que alguém é vegetariano, a primeira coisa que muitas pessoas pensam é que esse indivíduo come muita salada! Mas ser vegetariano não tem nada a ver com comer muita ou pouca salada. Ser vegetariano tem a ver com não comer carne de nenhum tipo, nem as brancas, nem as vermelhas, nem as de qualquer outra cor. Como conceito, ser vegetariano é não comer nenhum alimento oriundo da morte de um ser do reino animal. Vamos um pouco mais além.

Vegetarianismo

A dieta vegetariana não é uma dieta nova. A cultura indiana, baseada no conceito da não violência, até hoje adota o vegetarianismo. São milênios de existência com um regime alimentar sem carne. No Ocidente, antes de 1847, dizia-se que os indivíduos que não ingeriam carne haviam aderido a um "sistema de dieta vegetal" ou a uma "dieta pitagórica" (do sábio grego Pitágoras).

A palavra "vegetariano" foi formalmente utilizada em 1847 por Joseph Brotherton, na reunião de inauguração da Sociedade Vegetariana, realizada na Inglaterra. O uso ou não de derivados animais (ovos e laticínios) não impedia o indivíduo de receber essa denominação. Em decorrência dos diferentes padrões de dieta vegetariana adotados, foram criados os termos ovolactovegetariano (indivíduo vegetariano que consome ovos e laticínios), lactovegetariano (indivíduo vegetariano que consome laticínios), ovovegetariano (indivíduo vegetariano que consome ovos) e vegetariano estrito (indivíduo vegetariano puro, ou seja, que não consome nenhum derivado animal na sua dieta). Veja bem, o termo é vegetariano "estrito", e não "restrito".

A dieta composta exclusivamente de alimentos de origem vegetal é estritamente vegetariana, e não uma dieta restrita. Estudos científicos demonstram que os vegetarianos estritos tendem a utilizar alimentos de forma mais diversificada que as pessoas que comem carne, mostrando que a dieta estrita não é restrita. Se você ouvir dizer que alguém é um vegetariano *restrito* é porque a pessoa ainda não aprendeu a nomenclatura.

O indivíduo que não consome carne de nenhum tipo é vegetariano, assim como aquele que se alimenta de ovos e laticínios. O único ponto comum a todas as dietas vegetarianas é a exclusão de qualquer tipo de carne da alimentação.

Em 1851 já havia relatos de vegetarianos que procuravam alternativas ao uso de vestimentas que contivessem couro. Porém, apenas em 1944 surgiu o termo "*vegan*", que foi cunhado por Donald Watson para designar o indivíduo vegetariano estrito que não utiliza produtos oriundos do reino animal para nenhum fim (alimentar, higiênico, de vestuário etc.). Em português, a palavra "*vegan*" foi adaptada para "vegano" pela Sociedade Vegetariana Brasileira.

A União Vegetariana Internacional (IVU, na sigla em inglês) define o vegetarianismo como "a prática de não comer carne, aves ou peixes ou seus subprodutos, com ou sem o uso de laticínios ou ovos".

A Sociedade Vegetariana Brasileira considera vegetariano aquele que exclui de sua alimentação todos os tipos de carne, aves, peixes e seus derivados, com ou sem a utilização de laticínios ou ovos. O vegetarianismo inclui o veganismo.

A Associação Dietética Americana define a dieta vegetariana como aquela que não inclui carne (inclusive de aves), frutos do mar ou produtos que contenham esses alimentos. Alguns vegetarianos brincam dizendo que não comem nada que tenha rosto, olhos ou um sistema nervoso central. Outros dizem que não comem nada que fuja ou esboce reação de fuga.

Os últimos dados do Ibope, em 2018, indicam que 14% dos entrevistados brasileiros se declararam vegetarianos, sendo que em 2012 esse número era 8%.

É nítido o aumento do número de adeptos da alimentação sem carne, como se pode ver nas redes sociais e ao analisar o crescimento do número de restaurantes vegetarianos e o surgimento de novos produtos veganos, inclusive lançados por grandes empresas que trabalham com a carne.

Essa industrialização de produtos alimentícios gera consequências para a saúde que nem sempre são positivas, especialmente se a industrialização processar os alimentos de forma a empobrecê-los, adicionando sódio, açúcar, gordura, corantes, aromatizantes artificiais ou elementos químicos de conservação.

Tipos de dieta vegetariana

Você já deve ter decorado, mas, para reforçar: de forma genérica vegetariano é o indivíduo que não utiliza nenhum tipo de carne (vermelha ou branca) na dieta. Vegetarianismo é sinônimo de alimentação sem carne. O termo "vegetariano" provém do latim e significa "forte, robusto e vigoroso".

Os vegetarianos podem ou não utilizar derivados animais na alimentação. Se consomem ovos e laticínios, são chamados ovolactovegetarianos. Se não comem ovos, mas aceitam laticínios, são chamados lactovegetarianos. Os vegetarianos que excluem todos os derivados animais do cardápio são chamados de vegetarianos estritos, vegetarianos puros e, às vezes, veganos. Na realidade, porém, há diferenças entre os vegetarianos estritos e os veganos. Apesar de ambos terem em comum o fato de adotar uma alimentação isenta de produtos animais, os veganos não utilizam vestimentas e produtos que incluam componentes animais e geralmente recusam produtos testados em animais. Esses três tipos são os mais comuns, mas existem outras formas de vegetarianismo (dentro do padrão do vegetarianismo estrito), como o crudivorismo e o frugivorismo.

O crudivorismo propõe o uso de alimentos crus ou aquecidos no máximo até 42 °C. A utilização de alimentos em processo de germinação (cereais integrais, leguminosas e oleaginosas) é comum nesta dieta. Os alimentos seguem basicamente o mesmo padrão utilizado pelos vegetarianos estritos, exceto pelo fato de serem consumidos exclusivamente crus. Diferentemente do que se possa pensar, esta dieta apresenta preparações bastante sofisticadas e saborosas.

O frugivorismo utiliza apenas frutos, porém de acordo com o conceito da botânica e não da nutrição. Dessa forma, são utilizados cereais, legumes (como abobrinha, berinjela etc.), oleaginosas (nozes, amêndoas etc.) e as frutas propriamente ditas. Nesta filosofia, o preceito é utilizar apenas o que a natureza oferece, sem violar a integridade do vegetal.

Já a macrobiótica designa outra forma de alimentação, que pode ou não ser vegetariana. Macrobiótico é o indivíduo cuja alimentação se baseia em cereais integrais e que vive de acordo com um sistema filosófico bastante particular e característico. A dieta macrobiótica clássica, ao contrário da vegetariana, apresenta indicações específicas das proporções a serem utilizadas de cada grupo alimentar. Essas proporções seguem diversos níveis, podendo ou não incluir carnes. A macrobiótica não aconselha o uso de laticínios ou ovos.

Denomina-se semivegetariano, ou "flexitariano", o indivíduo que faz uso de carnes, geralmente brancas, em menos de três refeições por semana. Alguns estudos consideram semivegetariano quem consome carnes em apenas uma refeição semanal. Essa terminologia ganha importância na comparação dietética (nutricional e de resultados para a saúde) entre vegetarianos (de todos os tipos) e onívoros, já que o semivegetariano é, teoricamente, um indivíduo que se situa entre os dois grupos. Ressalto que esse indivíduo não é considerado vegetariano, pois não tem uma alimentação sem carne. Você vai encontrar também os termos piscovegetariano (ou pescovegetariano) e pollovegetariano para designar os vegetarianos que incluem em sua dieta peixes ou galináceos, respectivamente. Mas eles não são vegetarianos!

Não existe uma evolução entre os tipos de dieta vegetariana. Por mais que muitos ovolactovegetarianos almejem se tornar veganos, isso não é uma constante. Há ovolactovegetarianos ou lactovegetarianos que não pretendem abolir o consumo de produtos derivados de animais.

Quem aceita qualquer tipo de alimento na dieta é onívoro. Há indivíduos onívoros que não comem verduras, legumes e frutas. Há vegetarianos estritos que não gostam de nada verde. Há pessoas ovolactovegetarianas que quase não usam ovos nem laticínios.

É importante ressaltar que essas nomenclaturas não devem ser utilizadas em hipótese alguma para determinar o estado nutricional do indivíduo, pois, exceto pela macrobiótica, nenhuma delas especifica a quantidade ou a frequência de ingestão de cada grupo de alimentos. A nomenclatura, na prática clínica do médico ou do nutricionista, serve apenas para avaliação e orientação, no sentido de saber o que o indivíduo vai ou não aceitar no cardápio.

E nesse contexto das nomenclaturas, surge uma nova terminologia, que é a "*plant-based diet*" e a "*whole food plant-based diet*", sobre as quais conversaremos logo à frente, ao falarmos de saúde.

Vegetarianismo é naturalismo?

Não! De forma alguma! Muitas pessoas associam erroneamente o vegetariano ao indivíduo que procura um estilo de vida saudável, baseado em uma vida mais natural e com a ingestão de alimentos isentos de aditivos artificiais e industrializados. Elas têm na cabeça a ideia do natureba que não penteia o cabelo, da mulher que não depila as axilas, e isso é fruto da distorção do que é o vegetarianismo e de sua associação a grupos que têm filosofia própria e também adotam a dieta vegetariana.

Você vai ver o tipo que denomino de *junk* vegetariano, que é o vegetariano que retirou a carne do cardápio, mas come todas as porcarias que encontra pela frente, adotando uma dieta rica em alimentos refinados, frituras e corantes.

Um estilo de vida mais naturalista pode ser adotado por alguns vegetarianos, mas isso não é uma regra, e essa associação não deve ser feita. Vamos entender por que uma pessoa escolhe parar de se alimentar de carnes.

Por que se tornar vegetariano

São diversas as razões que levam alguém a se tornar vegetariano. Em muitos casos, a filosofia de vida que a pessoa segue a desperta para a adoção dessa dieta. Com uma nova visão da vida, ela passa a viver de maneira diferente.

Segundo estudos científicos internacionais, a principal razão pela qual as pessoas se tornam vegetarianas é a busca por melhor qualidade de vida do ponto de vista da saúde. No entanto, esse resultado não condiz com a realidade brasileira, e talvez nem mesmo com a mundial. Entre os pacientes que atendo, mais de 90% dos veganos o são por motivos éticos (por causa dos animais, e não da saúde). Pelo menos 50% dos ovolactovegetarianos também retiram a carne do cardápio pensando nos animais. No meu ponto de vista, as estatísticas que emergem desses artigos científicos estão "viciadas", pois parte delas foi realizada com adventistas, que têm na saúde o principal motivo para a adoção do vegetarianismo.

Vamos analisar as principais razões que levam ao vegetarianismo.

Ética

Como os animais são capazes de procurar o prazer, preservar-se da dor e demonstrar interação com o ambiente em que vivem, causar-lhes sofrimento é uma atitude inaceitável do ponto de vista ético. Dessa forma, o indivíduo que compartilha desse princípio ético não aceita ser conivente com a exploração dos animais nem com o extermínio da vida deles. Ele considera os animais seres com direitos que devem ser respeitados.

É muito comum encontrarmos pessoas que participam de grupos de proteção a animais que em determinado momento questionam a incoerência de suas atitudes: "Como posso proteger o cão e o gato e comer a vaca e o frango? Qual é a diferença?" Pronto, surge mais um vegetariano! Também é comum que aqueles que se tornaram vegetarianos por causa dos animais procurem produtos isentos de aditivos de origem animal (como o corante vermelho carmim, ou INS 120, extraído do extrato seco de fêmeas de um inseto chamado cochonilha, ou *Coccus cactis*; esse corante é bastante utilizado em sucos de frutas com sabor artificial de morango ou pêssego, laticínios, doces, geleias, sorvetes, bebidas alcoólicas e cosméticos) ou que não tenham sido testados em animais (a tolerância a certos medicamentos e cosméticos é testada nos olhos de coelhos). A vivissecção assim como as experiências de laboratório são vistas como atos inaceitáveis. Há *sites* que listam as empresas cujos produtos utilizam derivados animais bem como as que fazem testes em animais.

Em alguns casos, a pessoa que se tornou vegetariana por causa dos animais não está preocupada com a própria saúde, e sim com o abuso contra os animais, e pode ter uma alimentação bastante inadequada em termos nutricionais. No entanto, o que minha experiência em consultório tem mostrado é que esse vegetariano não terá escolha senão estudar nutrição, pois será perseguido por perguntas sobre os nutrientes e, cedo ou tarde, estudará bastante e modificará seus hábitos. Falarei sobre isso em outro capítulo.

No grupo das pessoas que se tornam vegetarianas por questões éticas, podemos incluir ainda as que seguem religiões como o budismo e o adventismo, que preconizam a alimentação sem carne.

Para aquelas que não se sensibilizam com essa questão, há diversos filmes que mostram com clareza a crueldade contra os animais no processo industrial, mesmo nos locais que seguem rigidamente os protocolos da Agência Nacional de Vigilância Sanitária (Anvisa). Isso ocorre por um motivo simples: os animais sentem medo e dor quando confinados e abatidos, mesmo que pensemos que seu entendimento do mundo seja diferente do nosso.

A ex-presidente e fundadora da Sociedade Vegetariana Brasileira, Marly Winckler, tem uma frase que reflete muito bem esse princípio: "Como queremos encontrar e praticar a paz se praticamos a violência em cada refeição que fazemos?"

Saúde

É a segunda razão que leva os brasileiros a adotarem o vegetarianismo. A Organização Mundial da Saúde (OMS) define a saúde como um estado de completo bem-estar físico, mental e social, e não apenas a ausência de doença. O indivíduo que associa o fato de ingerir carnes ao assassinato ou ao sofrimento animal não consegue viver psiquicamente bem ingerindo esses produtos. Forçar um indivíduo que modificou sua visão a comer carne é uma violação à sua saúde. Independentemente desse conceito, vou me concentrar apenas nos aspectos relacionados à saúde do corpo físico.

No entendimento da saúde, é importante falarmos de um termo que não expliquei anteriormente: a alimentação *plant-based* ou *whole food plant-based*. No passado era muito difícil termos uma alimentação vegetariana estrita processada, pois não havia muitos produtos desse tipo para o público vegano. O máximo que se podia fazer de errado na alimentação era usar cereais refinados (arroz, pão, macarrão), açúcar e frituras. Mas hoje há uma gama de produtos ultraprocessados, como leite condensado de soja, bolacha recheada sem leite, entre centenas de outros produtos destituídos de fibras, antioxidantes e micronutrientes, podendo levar a uma dieta vegetariana estrita que chamo de *junk* vegana.

Assim, para diferenciar a qualidade da alimentação vegetariana, foi criado o termo *plant-based*, ou *whole food plant-based*, que consiste em uma alimentação vegetariana estrita que utiliza o alimento *in natura*, ou seja, na sua forma natural e integral. No conceito do termo, a alimentação "baseada em plantas" poderia até aceitar, no contexto da saúde, a inclusão esporádica de elementos animais, mas ela é uma alimentação praticamente vegetariana estrita. Ao procurarmos a expressão "*plant-based diet*" no PubMed, um banco de artigos que temos disponível para pesquisa científica, somos direcionados para o diretório pertencente à alimentação vegetariana.

Alguns profissionais, por falta de conhecimento, estão se apropriando desse termo para flexibilizar a alimentação vegetariana, inserindo produtos animais, mas vemos isso com reprovação, pois a dieta *plant-based* é uma alimentação vegetariana estrita, natural e integral. E é com esse padrão vegetariano estrito saudável que vemos os efeitos positivos para a saúde de vegetarianos. Assim, lembre-se de que, no contexto da saúde, não basta ser vegetariano, é preciso escolher alimentos mais naturais e integrais. Quanto mais *plant-based*, melhor!

Há vários estudos populacionais que avaliaram a saúde dos vegetarianos com amostragens bastante significativas. Grande parte desses estudos foi realizada com adventistas, que, por motivos religiosos, são incentivados a adotar o vegetarianismo. Como essa adesão não é obrigatória, encontramos vegetarianos e não vegetarianos nessas comunidades. Essa diversidade os torna um grupo bastante interessante para pesquisas relacionadas à saúde, já que o consumo de álcool, a frequência de tabagismo e de atividade física são similares, a despeito da opção dietética. Assim, um estudo populacional identifica que tem algo positivo na dieta vegetariana, pois as populações têm menos diabetes, menos doenças cardiovasculares, redução de diversos tipos de câncer e menos obesidade. No entanto, como profissionais de saúde, tentamos entender quais são os fatores que levaram a isso e comparar se uma alimentação vegetariana estrita bem feita seria realmente melhor do que uma onívora bem feita. Esses estudos controlados foram feitos e a cada dia publicam-se mais estudos assim. Em todos eles a alimentação vegetariana bem feita se mostra superior à onívora bem feita.

Vamos conversar um pouco mais sobre as principais doenças estudadas e os motivos pelos quais a dieta vegetariana tem tão bons resultados.

Doenças cardiovasculares

De forma geral, os estudos populacionais mostram:

- Redução de 29% das mortes por doença cardiovascular nos vegetarianos.
- Níveis sanguíneos de colesterol 14% mais baixos em ovolactovegetarianos do que em onívoros.
- Níveis sanguíneos de colesterol 35% a 40% mais baixos em vegetarianos estritos do que em onívoros.
- Pressão arterial mais baixa nos vegetarianos (redução de 5 a 10 mmHg, que já é suficiente para reduzir os riscos cardiovasculares).
- Redução dos níveis de inflamação corporal com a alimentação vegetariana estrita.

No contexto da doença cardiovascular, são vários fatores que explicam essas mudanças. Sabemos que os níveis mais elevados de colesterol

LDL trazem impactos negativos para a saúde, pois se correlacionam a maior risco cardiovascular. E adotar uma alimentação vegetariana estrita pode reduzir em 40% seus níveis, um valor similar ao uso de medicamento do grupo das estatinas que tem essa ação redutora do colesterol.

O perfil da dieta vegetariana, de baixa ingestão de gordura saturada e maior teor de fibras e fitosteróis, auxilia muito nesse contexto protetor. As fibras ajudam a arrastar para as fezes o colesterol dietético (ou o que estava dentro do corpo e foi lançado ao intestino pelas vias biliares). As fibras também melhoram a composição da microbiota (bactérias intestinais), fazendo com que o colesterol seja transformado em coprosterol, um composto que não é absorvido e acaba sendo eliminado pelas fezes. Os fitosteróis, compostos vegetais que se parecem com o colesterol, competem na absorção, deixando mais colesterol não absorvido para ser levado para as fezes. Por mais que uma alimentação vegetariana estrita não contenha colesterol, o organismo lança diariamente parte do colesterol que está dentro do corpo ao intestino, e ele pode ser reabsorvido, voltando para o sangue. Esse conjunto de elementos faz com que o próprio colesterol produzido internamente seja jogado para fora do corpo.

Ainda na parte intestinal, a maior presença de fibras leva à sua fermentação bacteriana, produzindo ácidos graxos de cadeia curta (acetato, propionato e butirato), que têm ação dentro do corpo (ação endógena) modulando a produção de colesterol.

O reino vegetal contém 64 vezes mais antioxidantes do que o reino animal. Isso faz com que a troca de produtos animais por vegetais aumente o teor antioxidante da dieta de forma expressiva. Um estudo comparou essas mudanças ao inserir um grupo de 50 indivíduos em uma dieta vegetariana estrita e outro grupo de 50 indivíduos em uma dieta onívora preconizada pela Associação Americana de Cardiologia (American Heart Association). Após oito semanas, os níveis de inflamação (medidos pela proteína C reativa ultrassensível) ficaram 32% menores no grupo vegetariano, quando comparado com o onívoro.

A ingestão de carnes, ovos e laticínios fornece quantidades expressivas de colina, carnitina, fosfatidilcolina e betaína. Em contato com as bactérias intestinais do indivíduo onívoro, são transformadas em trimetilamina (TMA), que por sua vez é absorvida e transformada em óxido de trimetilamina (TMAO) pelo fígado. O TMAO aumenta expressivamente o risco de formação de placas de gordura nos vasos sanguíneos (ateroma) e a capacidade de coagulação, inclusive reduzindo o efeito do ácido acetilsalicílico (AAS), muito usado por cardiopatas, elevando o risco cardiovascular. Os vegetarianos estritos praticamente não produzem TMAO, pois as bactérias intestinais são diferentes das proporcionadas na alimentação onívora.

Ainda no contexto do risco cardiovascular, a redução dos níveis de pressão arterial que vemos com a adoção da dieta vegetariana é um fator protetor de risco cardíaco. Da mesma forma, o melhor controle glicêmico ocasionado pela alimentação vegetariana proporciona proteção às paredes do vaso sanguíneo (endotélio), já que a glicose elevada é um fator de agressão endotelial, e os níveis mais elevados de insulina aumentam o estímulo para a produção de colesterol, além de estimularem a produção de mais adrenalina (via sistema nervoso central), levando a maior contração de vasos sanguíneos, alterando o trabalho cardíaco e o risco cardiovascular como um todo.

Diabetes

O risco de diabetes é praticamente o dobro em onívoros quando comparados a vegetarianos, de acordo com um estudo feito com 34.198 indivíduos adventistas. Outros estudos controlados demonstram que, comparados aos que adotam a dieta preconizada pela Associação Americana de Diabetes ou pela Associação Europeia para o Estudo do Diabetes, os diabéticos que adotam uma dieta vegetariana estrita, com baixo teor de gordura ou não, têm muito mais benefícios em relação ao controle glicêmico, perda de peso, uso de medicamentos, redução do colesterol "ruim" e perda de proteína pelos rins (uma condição chamada de microalbuminúria, indicativa da saúde dos vasos sanguíneos dos rins).

Dessa forma, vemos que a alimentação vegetariana estrita atua não apenas na prevenção do diabetes como traz resultados superiores aos da onívora no tratamento de diabéticos. Esses dados são tão evidentes que podemos ver no Consenso da Associação Americana de Endocrinologistas Clínicos e Colégio Americano de Endocrinologia, publicado em janeiro de 2020, o endosso da dieta *plant-based* como a melhor escolha para diabéticos.

E como explicar esse efeito de uma alimentação vegetariana no controle glicêmico, mesmo quando ela apresenta mais carboidratos na sua composição?

Há uma ideia errônea de que os carboidratos são o problema no diabetes. Na realidade, há vários fatores que dificultam a entrada da glicose na célula muscular, como teores elevados de gordura saturada (presente em manteiga, requeijão, ovos, queijos e carnes, mas também em óleo de coco e de palma) e de gordura trans (presente em muitos produtos industrializados), assim como o acúmulo de peso corporal (principalmente como gordura abdominal) e o sedentarismo.

A retirada desses alimentos gordurosos, além de auxiliar nessas correções, pode significar maior teor de fibras, o que exerce um efeito excelente no controle da glicemia, pois elas diminuem o ritmo de esvaziamento do estômago e do intestino delgado e fazem com que os carboidratos ingeridos sejam absorvidos mais lentamente – dizemos que são alimentos de baixo índice glicêmico. Como a chegada de carboidratos ao intestino é contínua, eles são liberados no sangue mais lentamente e vão sendo consumidos aos poucos, evitando as elevações abruptas de glicemia que aumentam os níveis de insulina.

Além disso, quando as fibras chegam ao final do intestino delgado, ocorre o estímulo mecânico (e alguns autores apontam também para o importante papel das bactérias intestinais alimentadas pelas fibras e que proporcionam essa ação) para a produção de hormônios (GLP-1, PYY e GIP) que ajudam a controlar a glicemia, pois reduzem ainda mais a liberação de alimentos do estômago para o intestino, trazem a sensação cerebral de saciedade e ajudam a otimizar a ação da insulina, possibilitando que o controle glicêmico ocorra de forma mais harmônica.

A capacidade que a alimentação vegetal tem de reduzir os níveis de inflamação também auxilia muito nesse controle. Se o organismo estiver inflamado, é mais difícil para as células captarem a glicose do sangue e colocarem no seu interior. Dessa forma, quanto mais inflamação, mais a glicemia aumenta.

É fato que a carne, especialmente a vermelha, é nociva para o controle da glicemia, pois dificulta a ação da insulina e dá mais trabalho para o pâncreas, o que reduz a vida útil desse órgão e aumenta o risco de a pessoa se tornar diabética. As características da carne que causam essa condição são várias, e por vias diferentes, mas podemos destacar a maior concentração de aminoácidos de cadeia ramificada, a presença de gordura saturada e de produtos de glicação avançada, o próprio ferro heme (que causa vários danos, inclusive na questão do câncer, como veremos mais à frente), a presença de nitrito de sódio, compostos N-nitrosos, fosfatidilcolina e carnitina (que formam TMAO, que mencionei anteriormente, no trecho sobre doenças cardiovasculares).

O aumento do risco de diabetes é evidente não apenas pelo consumo de carne processada, mas também da não processada.

Câncer

Não podemos considerar o câncer como uma doença de origem única, pois cada tipo de câncer acomete diferentes tipos de célula e há vários fatores que o desencadeiam. Um câncer de pele, por exemplo, tem o sol como promotor, mas o de mama pode ter o estrogênio como o fator que o fomenta.

Sabemos que os produtos de origem animal têm fatores negativos para o desenvolvimento de alguns tipos de câncer, e o reino vegetal tem diversos fatores protetores.

Após avaliar mais de 800 estudos epidemiológicos diferentes e reunir 22 especialistas para essa revisão, em outubro de 2015 a Agência Internacional para Pesquisa em Câncer, um setor da Organização Mundial da Saúde, classificou as carne processadas (peito de peru, presunto, salsicha, linguiça, entre outras) como grupo 1A de evidência com relação ao câncer de intestino grosso (cólon) e reto. Isso significa que não há dúvida alguma que são produtos promotores do câncer em seres humanos; por exemplo, o consumo diário de 50 gramas desses produtos aumenta o risco de câncer de cólon e reto em 18%. Nesse mesmo relatório, as carnes vermelhas estão no grupo 2 de evidência, ou seja, são provavelmente carcinogênicas. E, com os estudos mais recentes, é questão de tempo até que passem a ser do grupo 1A.

Outros estudos têm resultado semelhante, veja só:

- Um estudo com 34.198 adventistas apurou que o risco de câncer de próstata é 54% maior e o de câncer de intestino grosso (cólon e reto) é 88% maior em onívoros.
- O mesmo estudo apurou que as carnes vermelha e branca estão vinculadas (de forma independente) ao risco aumentado de câncer de intestino grosso.
- Houve redução de 18% de todos os tipos de câncer em populações vegetarianas.

- Populações ovolactovegetarianas têm menor risco de câncer gastrointestinal e as vegetarianas estritas têm redução do risco de todos os tipos de câncer.

Essa relação causal das carnes com esses tipos de câncer não se faz apenas por aditivos de conservação ou por produtos decorrentes do seu aquecimento, mas também pela própria presença de ferro heme, um agente reconhecidamente carcinogênico.

Os processos de produção da carne podem envolver a formação de compostos N-nitrosos (no processo de cura), hidrocarbonetos policíclicos aromáticos (na defumação) e aminas heterocíclicas aromáticas (ao cozinhar em altas temperaturas): todos de efeito mutagênico, o que aumenta o risco de diversos tipos de câncer.

Há também fatores endógenos importantes a serem observados quando pensamos no câncer. Níveis elevados de insulina e de IGF-1 (que é a forma ativa do hormônio de crescimento) são fatores de estímulo de crescimento celular que, quando indevidamente estimulados, podem levar ao desenvolvimento de alguns tipos de câncer. O excesso de peso, o maior consumo de gordura saturada e o sedentarismo são fatores que dificultam a ação da insulina, elevando seus níveis sanguíneos. O consumo de laticínios aumenta os níveis de IGF-1, mesmo porque esse hormônio também está presente no leite e seus derivados, assim como o maior consumo de metionina também estimula a maior concentração desse hormônio.

No que se refere aos laticínios, não é possível associá-lo a todos os tipos de câncer, mas sua relação com linfoma e com câncer de próstata, de endométrio e de mama já foi estabelecida.

Como boa parte do leite de vaca é ordenhada de vacas em processo de gestação sequencial (assim que um bezerro nasce, a vaca recebe nova inseminação), a quantidade de estrogênio presente nesse leite é aumentada. Pode-se considerar que 1 litro de leite de vaca contém a mesma quantidade de estrogênio presente em 1 litro de sangue de uma mulher na menopausa. Como a mulher tem em média 4 litros de sangue no organismo, ao beber 1 litro de leite, seus níveis de estrogênio aumentam em 25%. Essa elevação, por si só, é potencialmente nociva se a mulher tiver células tumorais que sejam responsivas ao estrogênio, já que ele seria um elemento estimulante chegando em maior quantidade no organismo. Mas, no caso do tratamento contra um câncer de mama estrogênio dependente, a remoção de leite e laticínios da dieta é mandatória! O combate a esse tipo de câncer de mama utiliza medicamentos para bloquear a ação de estrogênio e, em alguns casos, inclui cirurgia para retirar os ovários, de forma que a paciente não produza estrogênio por essa via. E nessa condição, não faz sentido algum usar alimentos que contenham estrogênio. No caso de fitoestrogênios é diferente, pois eles competem com o estrogênio presente no corpo da mulher e têm efeito protetor, como é o caso de alimentos contendo soja, que são aconselhados tanto na prevenção do câncer de mama quanto para as mulheres que estão em tratamento.

Frente à literatura atual, vale o princípio da precaução, ou seja, evitar tudo o que possa ser carcinogênico. Isso implica:

- limitar ou evitar o consumo de produtos lácteos para reduzir o risco de câncer de próstata
- evitar o consumo de carne vermelha processada para reduzir o risco de câncer de cólon e de reto
- evitar o consumo de carne grelhada e frita para reduzir o risco de câncer de cólon, reto, mama, próstata, rim e pâncreas
- consumir mais frutas e hortaliças para reduzir o risco de várias formas comuns de câncer
- consumir mais produtos à base de soja desde a adolescência para evitar o risco de câncer de mama

É fato que, se queremos aumentar o consumo de vegetais, devemos reduzir o de animais, para que haja mais espaço no prato para frutas e hortaliças em geral.

Obesidade

O estudo EPIC-Oxford avaliou 33.883 onívoros e 31.546 vegetarianos e constatou que a obesidade estava presente em 7,1% dos homens e 9,3% das mulheres onívoras, contra 1,6% dos homens e 2,5% das mulheres vegetarianas.

A questão do excesso de peso envolve elementos mais delicados, pois o resultante de peso será decorrente do balanço entre a ingestão e o gasto. De forma geral, os alimentos vegetais são mais volumosos e menos densos em energia, o que significa que a pessoa consegue comer mais volume (enchendo o estômago) com menos calorias; e isso favorece a manutenção de um peso melhor. Entre os alimentos vegetais *in natura*, o cuidado frente à densidade calórica deve ser tomado com relação a óleos e oleaginosas (nozes, amêndoas, amendoim e castanhas, por exemplo).

Com o processamento crescente de alimentos, agora também focado no público vegano, a oferta de produtos mais calóricos e destituídos de fibra alimentar tende a contribuir com o excesso de peso da população vegetariana.

O motivo pelo qual o indivíduo despertou para o vegetarianismo também é importante. Quando o fator ético é o mais importante, nem sempre a saúde é colocada no lugar que deveria. Alguns estudos mostram veganos com maior prevalência de obesidade que ovolactovegetarianos, justamente por fazerem escolhas nem sempre salutares.

Assim, de forma geral, os estudos apontam que as populações vegetarianas têm menor prevalência de obesidade e sobrepeso que as onívoras, mas o peso do indivíduo será o resultante das escolhas alimentares que fizer.

Outras doenças

Diversos estudos apontam os seguintes resultados:

- Redução de até 50% do risco de diverticulite nos vegetarianos.
- Um estudo com 800 mulheres entre 40 e 69 anos apontou que as vegetarianas têm chance duas vezes menor de ter pedras na vesícula do que as onívoras.
- A dieta vegetariana é benéfica aos que estão perdendo a função renal, pois tem menos proteína e melhora o perfil lipídico.
- A dieta vegetariana sem derivados animais e com predominância de alimentos crus reduz os sintomas de fibromialgia.

É provável que a explicação para esses achados não esteja unicamente na alimentação sem carne, mas também no maior consumo de alimentos saudáveis, como frutas, verduras e cereais integrais. Se seu objetivo ao se tornar vegetariano é ter mais saúde, saiba que não basta retirar a carne; é preciso saber como está o contexto global de sua dieta e de sua vida. De qualquer forma, os estudos têm sugerido que uma dieta vegetariana não planejada é mais saudável do que uma onívora não planejada.

A dieta vegetariana, assim como a onívora, não é um método de alimentação com regras estabelecidas. Podem ocorrer erros alimentares em ambos os grupos, mas o fato é que as populações vegetarianas apresentam melhor padrão alimentar e menor prevalência de doenças crônico-degenerativas quando comparadas às onívoras.

Meio ambiente

Para quem nunca estudou o impacto da criação de animais no meio ambiente, associar o vegetarianismo à questão ambiental pode soar muito estranho. Os meios de comunicação têm demonstrado o impacto da atividade humana nos ecossistemas, mas pouco divulgam o impacto da pecuária. Seja pelo fato de muitos governantes e apresentadores de televisão estarem vinculados à pecuária, seja pela recusa em admitir que nossos hábitos podem ser nocivos ao planeta e devem ser modificados, seja pela ignorância de alguns profissionais que ainda acreditam que o consumo de carne é fundamental para a saúde e por isso não há alternativa ao uso dos animais, a relação entre a pecuária e o meio ambiente é um assunto negligenciado. Devemos repensar o tema com seriedade, em especial porque abster-se do consumo de carne exerce mais impacto positivo no meio ambiente do que parar de andar de carro.

Relatório emitido pela Organização das Nações Unidas para a Alimentação e a Agricultura (FAO, na sigla em inglês) mostra claramente a preocupação da entidade com as consequências da pecuária no meio ambiente. Segundo a FAO, de todas as atividades humanas, a pecuária é a maior responsável pela erosão de solos e pela contaminação de mananciais aquíferos. As emissões de gases responsáveis pelo efeito estufa também são marcantes nessa atividade, em especial pela produção digestiva dos ruminantes (gases e eructação). No âmbito das atividades humanas, a pecuária é responsável por 9% do CO_2 emitido, 65% do óxido nitroso (296 vezes mais agressivo do que o CO_2), 37% do metano (23% mais nocivo do que o CO_2) e 64% da amônia (que contribui de forma marcante para a chuva ácida). De acordo com a FAO, cerca de 18% dos gases responsáveis pelo efeito estufa são gerados pela produção e pela comercialização de produtos de origem animal. No entanto, esses dados foram recalculados em 2009 por dois cientistas do Banco Mundial para o Instituto World Watch, que chegaram ao seguinte resultado: a pecuária e seus subprodutos respondem por no mínimo 51% dos gases causadores do efeito estufa.

O aquecimento global como reflexo das emissões de gases é assunto ainda controverso para alguns pesquisadores, pois alguns acreditam que esse aumento de CO_2 na atmosfera é consumido por plantas e fitoplânctons, que acabam tendo seu crescimento acelerado, minimizando o efeito de elevação da temperatura. Esses pesquisadores acreditam que a elevação de temperatura a que estamos assistindo é simplesmente o resultado de um período cíclico que o planeta vive, e que isso aconteceria com ou sem destruição ambiental. Mas essa opinião não é endossada pela maioria dos cientistas dessa área. E mesmo que não houvesse elevação de temperatura por meio da devastação determinada pela pecuária, todas as demais consequências são muito graves.

Atualmente a pecuária faz uso de 30% das terras produtivas do planeta, e outros 33% são utilizados para a produção dos grãos empregados para alimentar o gado. A produção global de carne foi da ordem de 229 milhões de toneladas entre 1999 e 2001. Estima-se que esse número chegue a 465 milhões de toneladas em 2050. Ou seja, atualmente 63% das áreas cultiváveis do planeta são destinadas à pecuária. Como a previsão de consumo de carne para 2050 é o dobro, precisaríamos de 126% da área do planeta para a pecuária, o que é obviamente impossível.

A pecuária é a principal causa de devastação de florestas. Para o avanço da criação de gado é necessário retirar a vegetação nativa (por meio das queimadas) para formar pastagens. A FAO estima que, do total de devastação ocorrido na floresta amazônica, 70% dela foi para a formação de pastagens, número que continua crescendo. A pecuária foi a principal razão do desmatamento de diversos biomas, como o Cerrado e a Caatinga. Para ter uma ideia bastante clara do processo, percorra o estado do Mato Grosso do Sul de carro. Durante todo o trajeto você verá dos dois lados da pista, até o horizonte, apenas pastagens formadas após o desmatamento da vegetação nativa.

Conforme conquistam mais poder aquisitivo, as populações dos países mais pobres passam a consumir mais carne. Estudos demonstram que, se a Índia ou a China começarem a consumir carne como os estadunidenses, a produção de animais de corte não será mais possível por falta de área útil no planeta.

Alimentos de origem vegetal, como frutas e verduras, exigem 95% menos energia fóssil do que o necessário para a produção e o transporte de carne. São necessários 18 quilos de cereais para produzir 1 quilo de carne. Em 1 acre de terra cultivado com cereais, haverá cinco vezes mais proteína do que se o espaço fosse utilizado para a criação de animais de corte.

E tem mais! São necessários cerca de 15 mil litros de água para produzir 1 quilo de carne, enquanto precisamos de menos de 1,3 mil litros para produzir 1 quilo de soja. Esse cálculo é feito computando-se o consumo do animal ao longo da vida. Isso significa que a economia na utilização de água é de mais de 90%. Matematicamente falando, a substituição de 1,6 quilo de carne pela mesma quantia de soja pouparia 75 mil litros de água por ano. Se, todas as semanas, 20% dos estadunidenses e canadenses substituíssem 113 gramas de carne de boi pela mesma quantidade de soja, o total de água economizada em um ano seria suficiente para fornecer 40 litros de água potável para cada pessoa do mundo.

Se toda a produção de soja e de grãos destinada ao gado estadunidense fosse destinada aos seres humanos, seria possível alimentar toda a população mundial cinco vezes. E o consumo de carne e de seus derivados tem uma relação direta com as mudanças climáticas que estamos vivendo: segundo estudos, em 2048 é possível que não tenha mais peixes no mar, por causa do consumo excessivo.

Um artigo científico publicado em 2016 intitulado "Environmental Nutrition: A New Frontier for Public Health" comparou os recursos utilizados para se produzir 1 quilo de carne bovina e 1 quilo de feijão. O resultado mostra que para produzir a carne bovina é necessário 9 vezes mais combustível, 10 vezes mais água, 10 vezes mais pesticidas, 12 vezes mais fertilizantes e 18 vezes mais área. É fato que essa produção é insustentável conforme a população mundial aumenta, demandando mais alimentos de origem animal com menos terras cultiváveis.

E, diferentemente do que muitos pensam, a ingestão de agrotóxicos é maior com o consumo de produtos animais, pois grande parte desses venenos têm efeito cumulativo em tecido adiposo, fazendo com que, ao consumir um pedaço de carne, a pessoa receba tudo o que ficou impregnado no tecido desse animal ao longo da vida.

Outras razões

Algumas pessoas adotam o vegetarianismo por questões filosóficas, por princípios religiosos, por não gostar de carne, entre tantas outras. Muitos praticantes de ioga se tornam vegetarianos motivados pelo princípio do *ahimsa* (a não violência, que faz parte da ética iogue). Alguns pacientes me relataram ter iniciado a dieta vegetariana em momento de muita dificuldade financeira, pois perceberam que a retirada da carne tornava a alimentação mais barata. Vou falar sobre isso adiante.

O que faz a diferença é sua consciência. Sejam quais forem suas razões, ao adotar o vegetarianismo você estará contribuindo para a redução do sofrimento animal e da devastação ambiental e, assim que elaborar adequadamente sua dieta, para a melhoria de sua saúde também. Muito provavelmente, inúmeros conflitos internos surgirão no momento em que sua consciência o impedir de comer carne. Sua visão de mundo será diferente. Por isso resolvi escrever uma carta para o novo vegetariano.

Carta ao novo vegetariano

A primeira vez que escrevi esse texto foi num contexto em que muitas pessoas nem tinham ideia do que era um vegetariano e que, nos restaurantes, literalmente se passava fome se a pessoa fosse vegetariana estrita. A sociedade vem mudando, ainda bem! Mas o que escrevi ainda se aplica aos tempos atuais!

> Saudações, vegetariano!
>
> Você acabou de se tornar um alienígena neste planeta de onívoros, cujos hábitos e valores você compartilhava até pouco tempo atrás. No entanto, por alguma razão muito forte, você modificou alguns desses valores. E como sempre fazemos associações, talvez você pense: se eu mudei, os outros podem mudar; podemos todos ser vegetarianos, e o planeta, os animais e a saúde agradecerão. Você não é o único nem o primeiro. Ao se ver no planeta dos onívoros, muitos vegetarianos têm essa ideia.

Há pessoas que só se tornariam vegetarianas se encontrassem o que comer em cada esquina ou se nascessem em uma sociedade vegetariana. Você é diferente e teve a coragem de transgredir muitas convenções sociais.

Para alguns (especialmente os mais jovens e os que foram tocados pela ética animal), esse é um momento muito difícil, pois começa a ficar claro que nem todos têm o mesmo compromisso. Eles enxergam o mundo de forma diferente e muitos não vão aceitar nem se sensibilizar com seus argumentos. E, para piorar, alguns ainda vão ridicularizá-lo o tempo todo. Nessa hora você poderá ser tomado por um sentimento de revolta e indignação. É claro que não é assim com todos, mas a maioria passa por isso em algum momento.

Se você não é vegetariano e veio bisbilhotar o que estou escrevendo para o vegetariano, saiba que só vai entender claramente o que digo no dia em que se tornar vegetariano de coração. E esse entendimento será muito maior se sua mudança for inspirada sobretudo pelo princípio da ética e da proteção aos animais. Quando a opção pelo vegetarianismo se deve à busca pela saúde, nem sempre a indignação é forte a ponto de causar essa revolta interna.

Fiz este livro pensando em você, vegetariano (e não vegetariano curioso), pois suas dificuldades diárias são previsíveis. Você vai passar por aquilo que todos os vegetarianos passam em nosso país, acredite. Logo você vai entender o que estou dizendo. Se você não é vegetariano, mas convive com um, leia estas páginas com carinho para entendê-lo melhor. Não é fácil ser um extraterrestre o tempo todo, mesmo que por escolha.

Meu amigo vegetariano, gostaria de deixar bem claro que há espaços seguros onde você pode depositar todos os seus sentimentos. Não seja chato e evite falar do assunto o tempo todo. Há momentos adequados para se fazer ouvir. Quando o sentimento de revolta o incomodar, lembre-se dos amigos, dos grupos que trabalham com ativismo animal, do estudo do comportamento humano e de diversos outros assuntos, e faça uma atividade física para liberar a energia acumulada. E o mais importante: recorra à força interior para agir e viver de uma forma diferente, em harmonia com seus princípios.

Desenvolva seu talento profissional e sua habilidade de se relacionar. Em muitas ocasiões você vai precisar deles! Se o desejo de fazer algo pelos animais e pelo planeta for muito latente em você, procure realizar um trabalho voluntário com entidades e grupos que já atuam nesse setor. Evite conflitos e discussões inúteis quando o momento não for oportuno. Não se exponha de forma desnecessária e nem tente chocar o mundo quando o momento pedir discrição. Mais importante do que falar é saber quando e como as pessoas ouvem. Estarei com você, como médico e amigo, em todas as páginas deste livro, e espero poder trazer mais embasamento e conforto para que sua decisão se mantenha viva e firme em seu coração.

Vamos lá!

Capítulo 2

NÃO SEJA ESTE TIPO DE VEGETARIANO

Decidi cursar a faculdade de medicina para entender melhor a parte metabólica e médica do vegetarianismo, pois na adolescência pude acompanhar várias pessoas tratadas com a alimentação vegetariana estrita, no sistema macrobiótico, sob orientação do Dr. Henrique Smith, já falecido. Os resultados eram fantásticos em pessoas com diabetes, doença cardiovascular e diversos tipos de câncer. Isso foi no início da década de 1990, quando pouco se falava de alimentação no meio médico e tudo isso era ridicularizado.

Como meus pais são médicos, eu já sabia o que estava por vir e, depois de formado, quando me dirigia a esse público nos congressos e eventos médicos, já sabia como levar as informações e com que tom de fala. Foram muitos debates e tentativas de ridicularização do vegetarianismo, mas, como trabalho com informações sempre muito embasadas cientificamente, foi fácil levar a mensagem de forma ética e contundente, sempre de forma educada. Eu já sabia o que esperar da postura de um onívoro que tem implicância contra o vegetarianismo quando é colocado frente ao tema.

Mas a minha grande surpresa veio ao observar a postura de muitos veganos. O público que mais se beneficia do conteúdo que produzo e divulgo acabou sendo o mais crítico e cheio de picuinhas. Não foi difícil de entender o porquê. Quando alguém se torna vegetariano ou vegano, descobre que boa parte do que lhe ensinaram sobre saúde e nutrição não era verdade, já que muitos profissionais simplesmente desconsideraram o estudo do tema na faculdade. Assim, geralmente o vegano tende a ficar mais crítico com as informações e, para alguns, não é difícil entrar na teoria da conspiração, como se todo o universo quisesse enganá-lo, quando a sua opinião é diferente dos fatos da ciência.

Quando alguém se torna vegano pela questão da ética animal, muitas vezes fica revoltado pela insensibilidade com que as pessoas olham e tratam os animais. A condição da intransigência mental às vezes é tanta que até a matemática se perde no entendimento da lógica. Para alguns, não adianta falar em melhorar as condições de vida de um animal em cativeiro; *tem que* libertar o animal. Não adianta falar que é importante reduzir o consumo de carne; *tem que* dizer que a pessoa não deve comer de jeito nenhum. E por aí vai.

Depois de testemunhar diversos entreveros e no intuito de dialogar com pessoas veganas bastante agressivas, escrevi nas redes sociais, em 16 de setembro de 2013, um texto cujo título é "Pelo ego ou pelos animais?". As discussões se acaloraram e houve até um vegano que criou um *site* falso com o meu nome e vídeos editados, tentando sugerir que eu apoiava o consumo de carne. Assim, em 14 de agosto de 2014, escrevi uma "Carta aos ativistas veganos", rechaçando o endosso de vários veganos a esse crime de falsidade ideológica. Reproduzo aqui os dois textos para que possamos, juntos, refletir sobre a nossa atitude.

Pelo ego ou pelos animais?

Sempre escrevo textos com conteúdos da área médica e nutricional, mas neste texto vou abordar o assunto por outros ângulos, entrando muito mais em aspectos psíquicos.

> *"Manifeste a bondade onde ela não existe;*
> *Fomente a bondade onde ela existe;*
> *Não manifeste o mal onde ele não existe;*
> *Extinga o mal onde ele existe."*
> (Tratado budista sobre a perfeição da grande sabedoria)

O tratado anterior é claro, mas nem sempre nossa visão é clara o suficiente para saber como aplicá-lo, especialmente quando nós, como vegetarianos, estamos conscientes sobre as condições nas quais os animais são criados, explorados e mortos todos os dias.

Frente a essa consciência, é muito difícil, para não dizer impossível, não nos posicionarmos de forma a agirmos positivamente em prol da proteção aos animais. E, para que isso não seja feito de forma inadequada, agredindo os seres humanos e até mesmo prejudicando os animais, é importante repararmos um pouco mais na estrutura psíquica humana. Esse conhecimento é a primeira etapa para não metermos os pés pelas mãos.

O que te toca no vegetarianismo?

De forma geral, há um motivo principal que nos toca, que nos faz ter a vontade de transformar nossa relação com os animais e com o nosso alimento. Quando nossa percepção ainda é limitada pela falta de experiência e maturidade na troca com outros seres humanos, temos a ideia de que basta mostrar-lhes nosso motivo que eles também se tornarão vegetarianos. Ledo engano.

Nossa forma de ver o mundo, de nos sentirmos tocados com os fatos ocorridos, é muito diferente. Não é à toa que temos, com o mesmo preço, carros, roupas e outros bens de consumo diferentes. Existem times de futebol diferentes. As pessoas se mobilizam por interesses e fatores diferentes. Muitos comerciais não vendem objetos para satisfazer necessidades, e sim desejos.

E basta olharmos ao nosso redor. Mesmo os mais dedicados ativistas vegetarianos pelos direitos dos animais não conseguem "transformar" todos os seus parentes e amigos em vegetarianos. E a impressão de terem se afastado de alguns antigos amigos que se tornaram incompatíveis (somente por gostarem de assuntos ou programas que envolvam carne) apenas traz a ilusão de que basta falar para mudar.

Praticamente todos os vegetarianos já sentiram o incômodo de explicar todos os argumentos referentes ao vegetarianismo para uma pessoa, mostrar-lhe os vídeos sobre abate e maus-tratos e, mesmo assim, essa pessoa continuar a comer carne, mesmo concordando racionalmente que deveria parar. Ou até continuar comendo carne sem se sentir tocada por nenhum argumento, dizendo que os animais são feitos para isso mesmo.

Isso não mostra incompetência em agir ou passar a mensagem vegetariana, mas sim a diversidade de comportamentos, percepções e interpretações que o ser humano tem sobre os fatos.

É mais fácil "pregar para convertidos", ou seja, falar para os que concordam com o que dizemos. É mais fácil conviver com pessoas que pensam como nós pensamos, que compartilham o que gostamos de compartilhar. É com essa sensação de prazer que muitos criam grupos e mantêm círculos de amizades. A tendência é que os iguais se atraiam quando a busca é por compartilhamento de prazer.

Olhar para o que é diferente da nossa vontade e traçar estratégias amorosas para a transformação da consciência humana nem sempre é fácil.

Quando assumimos uma postura inflexível, atraímos as pessoas tão inflexíveis quanto nós. Quando assumimos posições afetivas, permanecem perto as pessoas afetivas. Os seres humanos não precisam pensar de forma idêntica para estarem juntos, trabalhando com o mesmo foco de ação, mas precisam nutrir respeito pelas posições que adotam. Uma pessoa inflexível tem dificuldades de se relacionar com as demais e conseguir avanços.

O ego é um elemento traiçoeiro da personalidade. Quando nos achamos superiores ao bem e ao mal, normalmente a vida se torna muito dura para que nós tenhamos que, ao fim e ao cabo, admitir que não somos superiores a nada.

Se queremos atingir todas as pessoas com a mensagem vegetariana, temos que agir de forma que possamos tocá-las. E essas formas são múltiplas.

O movimento vegetariano se compõe de todos os grupos e abordagens

É intuitivo pensar que há muitos fatores que levam alguns a se tornarem vegetarianos e outros a serem (por tempo que não temos condição de prever) imunes aos argumentos em prol de uma alimentação sem carne. Por isso, para que essas pessoas se tornem vegetarianas, há que se descobrir como ativar o aspecto que as toca mais.

Vamos a exemplos práticos:

1) Quem não teve contato prévio com a informação, ou seja, desconhece os fatos, deve ser abordado por meio do recebimento de conteúdo de qualidade através de uma infinidade de veículos possíveis: internet, TV, panfletagem, conversas com amigos, *podcasts*...

Sendo assim, qualquer grupo que promova o vegetarianismo vai poder atingir a massa quando a ação é ampla. Se a mensagem será positiva ou negativa, isso dependerá de vários fatores, mas principalmente da forma pela qual a pessoa que recebe se identifica com a mensagem.

2) Quem tem a intelectualidade como forma de sustentação de vida, ou seja, quem é mais racional do que emocional, é tocado por meio de argumentos.

Ser mais emocional ou racional nem sempre é uma escolha. Muitos de nós já tivemos contato com pessoas que têm a ideia de que a cadeia alimentar tornou o ser humano mais hábil como predador, devido à tecnologia que criamos, e que os animais merecem ser comidos. Para essa pessoa, essa é a lógica convincente e não adianta tentar apresentar recursos emocionais, mesmo que visuais (como vídeos), porque sua ideia não mudará.

Os livros de grandes filósofos e dados científicos são fortes ferramentas de argumentação junto às pessoas movidas pelo intelecto, e tudo o que é publicado a esse respeito é válido para uma conversa com a pessoa movida pela racionalidade.

A religiosidade de alguém pode ser um forte argumento lógico para ela. Não é à toa que muitas pessoas são vegetarianas por motivos religiosos.

3) Quem tem o coração sensível e aberto é tocado por meio da emoção. Assim, contar sobre a criação e exploração animal só surtirá efeito se ela for capaz de criar uma imagem mental que se conecte com suas emoções.

Para algumas dessas pessoas, a imagem de um grupo mostrando sangue e sofrimento pode até trazer uma ideia negativa sobre o vegetarianismo, pois ela associa isso com negatividade e sofrimento. Essa pessoa se sensibiliza com algo mais delicado e afetivo, e pode se distanciar por causa dessa mensagem.

Para outras, a imagem de dor e sofrimento pode ser o elemento de impacto de que precisam para se tornar vegetarianas. Não há regras, e sim conexões.

4) Quem quer mudar, mas encontra empecilhos no meio em que vive, precisa de facilidades; por exemplo, ter opções de comida vegetariana perto de casa, do trabalho ou da escola.

É fato: o vegetariano estrito ainda encontra mais dificuldade para se alimentar na rua. Além da falta de opções vegetais, há a adição de alguns produtos animais, como o bacon no feijão, e o uso extenso de ovos e laticínios.

Não é qualquer pessoa que tem tempo e disposição para procurar um restaurante vegetariano, ou ficar perguntando toda vez se há ingredientes de origem animal no prato dos restaurantes que frequenta, ou mesmo levar seus lanches quando vai viajar. Há pessoas que perdem o incentivo por conta disso e voltam a comer carne e derivados. Alguns julgam que enfrentar essa adversidade é apenas uma questão de convicção, mas o fato é que não importa: se o objetivo é poupar animais de morte e sofrimento, oferecer refeições vegetarianas a quem quer que seja impacta na diminuição de animais mortos ou explorados.

É nesse momento que a existência de pelo menos um prato vegetariano estrito (pois permite que veganos e ovolactovegetarianos o consumam) em restaurantes comuns e mesmo a presença de *chefs* preocupados em incluir a população vegetariana nos seus restaurantes é de forte ajuda. Tudo o que envolva culinária, nesse aspecto, é de grande valor para isso.

5) Para quem não quer mudar nem pensar a respeito dos animais, não adianta insistir em argumentos emocionais ou lógicos. A ação pode ser por meios políticos e econômicos que visem, no mínimo, reduzir o consumo de animais e seus derivados.

Exigir algo que uma pessoa não pode dar apenas leva à frustração.

Para pessoas que não querem modificar seus hábitos e relações com outros seres, pode-se argumentar que poupar animais de sofrimento e morte acarretaria mudanças políticas e econômicas, ou seja, ações que dificultem o consumo da carne. Percebo que esse tipo de ação pode incomodar muito alguns vegetarianos (e mesmo onívoros), mas esse incômodo é um elemento do ego e da negação do fato de que algumas pessoas não são tocadas pelo vegetarianismo. Falo mais sobre isso adiante.

Com esse quadro, não fecho as possibilidades, mas apenas ilustro que uma temática única de ação vegetariana é em geral limitada, pois nem sempre sabemos a via pela qual a pessoa se sensibiliza. Não adianta tentar sensibilizar alguém por vias às quais ele não tem acesso. Não adianta, por exemplo, querer que alguém nos ame com argumentos lógicos. O cigarro é outro exemplo: não há dúvidas sobre sua nocividade, mas ainda assim muitas pessoas fumam. O cigarro é um grande problema de saúde pública, e mesmo assim sua venda é legalizada.

Portanto, quando compreendemos que os seres humanos se mobilizam por motivos diferentes (e às vezes não se mobilizam), compreendemos que múltiplas formas de abordagem são válidas.

Como vou saber de que modo a mensagem toca alguém?

Quando a mensagem é feita em massa, não há como saber. Mesmo de pessoa para pessoa, não dá para ter certeza de como a mensagem é recebida e se faz eco no mundo psíquico do outro. Às vezes, mesmo conhecendo todos os valores e o histórico de vida de um indivíduo, não sabemos como serão suas reações.

Quando passamos uma mensagem, as pessoas acatam quando se identificam com ela e encontram meios de realizá-la. Assim, todas as vias de acesso ao vegetarianismo são úteis, por atingirem toda a diversidade de possibilidades.

Quando alguém é tocado pelo vegetarianismo, com o tempo vai conhecer todos os seus aspectos e entrar em contato com seus diversos grupos, que trabalham de forma diferente na tônica de passar suas mensagens. No seu próprio tempo, essa pessoa vai acabar se integrando ao grupo que mais tem relação com sua forma de se manifestar. Há grupos que são de estudo, outros de ativismo de rua, outros com fortes habilidades políticas ou educativas, por exemplo. Muitos mesclam vários dos temas.

Quando nos propomos a participar de um grupo, é importante verificarmos qual é a forma de trabalhar que faz mais sentido tanto para nossa emoção quanto para a racionalidade.

Pode machucar o ego, mas salve os animais

Algumas pessoas se tornam vegetarianas (estritas ou não) da noite para o dia. Outras podem demorar décadas para fazer essa transição. Outras, veja bem, podem nunca se tornar vegetarianas.

Para todas elas, há ações que podem ser adotadas em prol da proteção animal, e isso tem muito a ver com aspectos políticos e econômicos.

Recentemente, o consumo de carne na Argentina diminuiu 17%, pelo simples fato de o preço ter aumentado. Reduzir a venda de peças de animais é algo significativo! Influencia na pecuária e, consequentemente, poupa a futura morte de milhares de outros animais. Qualquer ativista pelo direito dos animais fica feliz quando salva um único animal, ainda mais o que esse número significaria de mudanças na pecuária em um ano! E se alguém questionar que isso não é válido, pois a mudança não foi pela consciência, está esbarrando nas próprias defesas do ego, e não dos animais.

O ego imaturo aceita apenas a própria visão narcisista. Não vamos criar um mundo utópico, um lugar onde, se falarmos para alguém "seja vegetariano" ou "seja vegano", isso vai ocorrer.

Vamos a outro dado mais impactante ainda: a população brasileira – mais de 200 milhões de habitantes, segundo o IBGE – come em média 220 gramas de carne por dia por pessoa. Vamos imaginar que seja apenas carne bovina e que cada boi gera 250 quilos de carne. Isso quer dizer um consumo diário de 176 mil bois e vacas. Se estivéssemos falando de frangos, o número de animais seria imensamente maior.

Se a população brasileira consumisse carne conforme preconiza o Ministério da Saúde (100 gramas por dia), a quantidade diária de bois sacrificados seria de 80 mil animais, ou seja, 96 mil a menos, 55% de animais poupados. Por outro lado, se 91 milhões de brasileiros se tornassem ovolactovegetarianos da noite para o dia, o número de animais poupados seria o mesmo.

Ou seja, para os animais, em termos de abate, a hipótese de 45,5% da população se tornar ovolactovegetariana tem o mesmo efeito que 100% da população reduzir o consumo de carne pela metade. Isso é muito significativo.

Se somarmos a possibilidade de reduzir o consumo de carne de quem não quer se tornar vegetariano com as facilidades em difundir informações para quem quer, o efeito será maior ainda. Os animais precisam de todas as abordagens, toda a ajuda possível.

Não é à toa que diversas Sociedades Vegetarianas ao redor do mundo (Reino Unido, Estados Unidos, Indonésia, Espanha) apoiam a campanha Segunda Sem Carne. É uma iniciativa que entende o funcionamento psíquico humano, já que atinge os que nunca tiveram contato com o vegetarianismo. É um convite ao conhecimento do universo vegetariano. A partir daí, várias transformações podem ocorrer. E tudo isso depende das suas conexões, do que toca a pessoa.

A violência e o desrespeito não deveriam fazer parte do vegetarianismo

Se a morte e a exploração animal são representações da agressividade, violência e insensibilidade, nutrir uma postura de agressividade, violência e insensibilidade pelos demais seres humanos significa construir um mundo com valores idênticos àqueles dos quais tentamos nos afastar hoje.

No universo psíquico primitivo, infantil ou infantilizado, o ser humano ainda se apega à necessidade de aprovação na tentativa de se sentir seguro. Nessa condição, tudo que é "meu" (meu grupo, minhas ideias) é melhor do que o do outro. Quando a maturidade chega, não precisamos competir e tentar repetidamente provar alguma coisa, muito menos anular os outros para que tenhamos a sensação de que temos valor. O outro não precisa deixar de existir para que você exista. Na maturidade emocional, existe respeito. Com maturidade, educação e respeito, nossos atos podem promover mudanças profundas.

Carta aos ativistas veganos

Gosto muito desta frase do Dalai-lama: "*Sentimento de superioridade que resulta em depreciação é, afinal de contas, orgulho ou presunção, uma poderosa mancha mental*".

Alguns podem se sentir incomodados e inconformados com o modo com que coloco as questões ligadas à nutrição e à saúde, então vou explicar um pouco como exerço meu trabalho e expresso meus pontos de vista, apesar de, sinceramente, não me importar com o que vão retrucar.

Tenho visto alguns veganos, especialmente os abolicionistas, adotarem uma atitude que causa muito mal-estar aos que convivem com eles. Quando me refiro ao veganismo e ao abolicionismo, devo declarar que há muito valor nessa postura ideológica. Conheço pessoas admiráveis que são veganas e abolicionistas, mas tenho visto muita incoerência. Para muitos, devo ser mais importante do que os próprios animais, pois gastam mais tempo comigo do que fazendo algo por eles.

Sou vegetariano, portanto não consumo nenhum tipo de carne, nem socialmente. Não consumo ovos nem leite e seus derivados. Não consumo mel. Os sapatos e cintos que uso não são de couro, os produtos de higiene pessoal que uso não contêm nada de origem animal nem são testados em animais. E isso não me torna melhor que ninguém.

Posso ser chamado de vegano, mas, frente às atitudes de alguns veganos, tenho preferido me definir como vegetariano estrito. Mesmo porque, para seguir à risca o veganismo que muitos pregam radicalmente, não poderíamos acessar a internet ou acender e apagar a luz, pois na construção das hidrelétricas milhares de animais se afogam e são desalojados. Sendo assim, usar energia elétrica é uma forma de estimular ações que matam animais e de consumir algo gerado com dor e sofrimento.

Quem é vegano de verdade não consome produtos feitos por empresas que matam ou comercializam animais mortos. Não aceita um hambúrguer de grão-de-bico criado pela Sadia ou a Perdigão. Poderia então, considerando essa mesma ética, dizer que é melhor não comprar em nenhum supermercado, pois além de vender tais produtos, também vendem a carne em si, pendurada em ganchos, refrigerada. Logo, também não poderia comer um hambúrguer vegetariano em uma lanchonete que também ofereça opções com carne.

Praticamente todas as químicas usadas na indústria alimentícia, como conservantes e corantes, foram testadas em animais. Não estou falando da cochonilha, que é o próprio inseto, mas de vários compostos que estão presentes nos alimentos processados a fim de conservá-los ou conferir sabor e textura diferentes do seu estado original. Portanto, quem come algo que não é natural não consegue ser 100% vegano. O vegano mesmo é uma pessoa totalmente natureba.

Remédios e até mesmo o ambiente hospitalar têm envolvimento com testes em animais, em algum momento da história, para que pudessem existir. Então o vegano que foi hospitalizado ou tomou algum remédio não poderia mais ser vegano?

O que ocorre é que a definição de veganismo, segundo a Vegan Society, diz que "é uma forma de viver que busca excluir, na medida do possível e praticável, todas as formas de exploração e tratamento cruel de animais na alimentação, no vestuário ou qualquer outra finalidade". Quero destacar esta parte da definição: *excluir, na medida do possível e praticável.*

Isso permite a cada um escolher o que é possível e praticável, dentro das suas possibilidades. Sendo assim, podemos ter muitos veganos que, para promover a causa animal, aceitarão ter luz em casa, acessar a internet, fazer compras em supermercados e até mesmo comer em locais que vendam carne. Sim, podem até usar papel cuja produção desalojou animais na plantação dos eucaliptos. Podem até comer alimentos industrializados com corantes, aromatizantes e estabilizantes que foram testados em animais. Podem até comer verduras e hortaliças cultivadas com agrotóxicos que matam milhares de insetos e pequenos animais.

Na nossa sociedade, não é possível ser 100% vegano, mas podemos definir assim aqueles que excluem tudo o que provém dos animais *na medida do possível e praticável*. Vejo mérito nisso, pois, pensando nos seres que sofrem para servir os humanos, estaremos reduzindo o sofrimento deles dentro do que é possível.

Como nenhum vegano é 100% vegano, ninguém deveria apontar o dedo para as "falhas" do próximo. Não há mérito algum em xingar alguém, em liberar agressividade, em maquiar os fatos para convencer os outros do que quer se convencer. Na minha opinião, a definição de veganismo deveria ser mais completa e incluir que vegano não deve ser agressivo com outros seres humanos, pois essa energia opressiva os iguala aos que querem combater: "O veganismo se baseia no princípio de poupar os seres sencientes do sofrimento, incluindo o próprio ser humano". Viver com raiva não é o caminho. O mundo governado por seres agressivos é um mundo cruel. Entendo que o veganismo é um estilo de vida que pode ser muito nobre, mas que perde isso ao se afastar de uma cultura de paz.

Ser enérgico e lutar pelo que acha correto é importante, mas há uma diferença enorme entre ser ativo e ser ignorantemente agressivo. Nos últimos tempos, por conta da postura de um pequeno grupo, o último tipo parece estar cada vez mais vinculado ao rótulo de "ativista", destilando ira contra os seres humanos. Veja, eu amo os animais, inclusive os seres humanos, com a mesma intensidade. A compaixão nos faz entender que, quando alguém faz algo nocivo (seja para si mesmo, seja para os animais), podemos mostrar que é possível fazer diferente, desde que sejamos tocados por algo que nos transforme.

Antes que digam que este texto é emotivo – às vezes não se pode nem mesmo falar em "amar", pois o que importa é "respeitar" os animais –, devo dizer que respeito e amor são de fato coisas diferentes, mas quando coexistem há muito mais intensidade do que apenas respeitar. Respeito pode ser imposto; admiração é uma conquista. Amor é um sentimento que se manifesta por meio do afeto por quem queremos bem e do cuidado com eles.

Fiz medicina para me dedicar ao vegetarianismo, que conheci e passei a adotar em 1992. Experimentei muitas formas diferentes de montar a alimentação ao longo desses anos. Algumas delas colocaram minha saúde em risco, pois encontrei várias orientações desastrosas.

Sou médico, minha área de atuação é a medicina; por ter me especializado em nutrologia, trabalho com alimentação; e por ser vegetariano, resolvi me aprofundar nessa especialidade. Não cabe a mim falar de bem-estar animal, abolicionismo, meio ambiente: minha energia é focada em saúde e nutrição.

Acima de qualquer coisa, escolhi trabalhar com a verdade. Não vou, em momento algum, maquiar fatos para difundir o vegetarianismo. Os princípios éticos já deviam ser suficientes para alguém se tornar vegetariano. A preocupação com o meio ambiente já devia ser suficiente. A parte da saúde é a menos nobre, pois reflete os cuidados que temos conosco, mas é a base para que as demais áreas tenham sustentação. Por isso, quando alguém lê meus textos, vai encontrar o fruto de meus estudos e pesquisas, sem maquiagem.

Quer ver um exemplo? Os estudos populacionais mostram que vegetarianos têm menos prevalência de diversas doenças crônicas, quando comparados com onívoros, mas esses estudos nada mais são que uma fotografia global dessas populações. Atendendo pessoas individualmente, vejo que a forma de montar a dieta faz diferença. Encontro vegetarianos com saúde excelente, mas encontro vegetarianos com saúde pior que a de onívoros.

É muito fácil entender isso. Se uma pessoa come apenas alimentos integrais, naturais, e pouca carne, e outra é vegetariana estrita e come apenas alimentos processados, refinados, industrializados, fritos e em excesso, nesse caso a dieta com carne, se pensamos em saúde e nutrientes, é melhor que a vegetariana.

Vamos um pouco além. Como comentei, grande parte dos estudos populacionais sobre a saúde dos vegetarianos foi feita com a população adventista, ovolactovegetariana. Esse grupo tinha uma ótima alimentação, e os resultados foram excelentes. Mostraram que vegetarianos têm menos doenças crônicas que onívoros. Por outro lado, um grupo de vegetarianos estritos da seita Black Hebreus, seguindo as orientações do guru, experimentou sérias deficiências nutricionais que levaram à hospitalização de diversas crianças. Por causa disso, a imagem do vegetarianismo como uma dieta deficiente se difundiu no meio médico. Só que, quando leio esses artigos, vejo claramente que o problema não é da dieta vegetariana, mas da forma esdrúxula com que ela foi feita.

Aos intransigentes, lamento! Não vou maquiar esse fato. Consumir ou não carne e derivados animais não é o que faz a diferença para a saúde, e sim como esse consumo é feito. A maioria dos estudos mostram que os vegetarianos seguem um padrão melhor de alimentação, com mais alimentos integrais, naturais, sem cometer excessos e com mais tendência a ser mais ativos, e isso traz benefícios. Mas se a pessoa é vegetariana e não tem esses hábitos, talvez tenha uma saúde ruim, talvez até mesmo pior que a de um onívoro.

Veja que dizer isso não difama, em nada, o vegetarianismo. Isso o reforça, pois estamos falando em fatos, e não ludibriando pessoas. A alimentação vegetariana é fantástica do ponto de vista nutricional, mas as escolhas feitas trazem diferenças nos resultados à saúde.

Olho para os fatos como eles são e não como gostaríamos que fossem. Dizer a verdade não mancha o vegetarianismo, traz confiança aos que buscam informação séria. Falo de saúde e, se maquiasse as coisas, comprometeria a saúde dos que seguem o que oriento. Minha consciência não permite isso, pois, como disse, amo os animais, inclusive os seres humanos.

Ética, meio ambiente e saúde. Todos os pilares que temos para falar sobre o vegetarianismo têm linguajares e ciências distintas, mas podem se cruzar em diversos níveis. O linguajar que uso é para os que querem conhecer mais sobre o funcionamento do corpo e sobre os alimentos e para profissionais de saúde que buscam informações. Os argumentos que encontrei para respaldar o vegetarianismo no meio científico não foram derrubados há anos, pois são pautados em fatos.

Algumas pessoas dizem que só vale ser vegetariano se for pelos animais. Não vale se for por saúde nem pelo meio ambiente. Também não vale se for por não gostar do sabor da carne nem por motivos espirituais ou religiosos. Só vale se for pelos animais. Ora, mas isso é porque não estão pensando nos animais, estão pensando apenas na própria causa que defendem. Se estivessem pensando nos animais, ficariam felizes ao saber que vidas animais estão sendo poupadas, não importa o motivo.

Quando as pessoas só conseguem pensar de uma única forma, temos uma seita, e não um estilo de vida libertador. Quando o propósito é limitado pela ignorância, intransigência e inflexibilidade, não se pode evoluir nem ter grandes conquistas e progressos. Quando não temos habilidade para lidar com os demais seres humanos, não conseguimos grandes avanços.

Lidamos com seres humanos. Os mesmos seres humanos que escravizam outros animais são os que podem ajudá-los a se libertar. Se outras espécies precisam de ajuda, os seres humanos também precisam, ajuda para enxergar a possibilidade de viver em um mundo melhor para si e para os demais seres vivos. A agressividade e a mentira não são o caminho a trilhar em busca de uma visão ampla e de parceria.

Todos nós temos o direito de agir como queremos, mas tudo o que fazemos tem um retorno. Agir com a compreensão errada das coisas traz resultados ruins para os que estão ao nosso redor e para nós mesmos, mas isso é, nada mais, nada menos, que o exercício da ignorância. Às vezes precisamos passar por situações para que, depois de um tempo, possamos entender que a forma que escolhemos de fazer as coisas não funciona. Um comportamento desprovido de arroubos passionais demanda tempo; é preciso passar por frustrações consecutivas até percebermos que não funciona.

Na minha adolescência, durante o processo de mudança alimentar e estilo de vida, me tornei uma pessoa muito difícil de lidar. Fui inadequado em muitas situações. Só encontrei um caminho sólido e próspero quando percebi que a verdade, a compaixão e a visão de todas as coisas ao redor precisam ser contempladas, ao mesmo tempo.

Sendo assim, gostaria de destacar alguns pontos nesta espécie de manifesto que permeia a minha prática da medicina e do vegetarianismo:

1) Posso provar que a dieta vegetariana (inclusive estrita) é excelente e pode ser praticada por qualquer pessoa em qualquer condição de vida. Afirmo isso com base em todos os estudos que conduzi e que abriram portas para o vegetarianismo no maior Conselho Regional de Nutrição do Brasil, em vários congressos médicos e de nutrição, assim como na política.

2) Posso provar que o consumo de carne em excesso é prejudicial.

3) Não posso provar que ingerir uma pequena quantidade de carne (talvez menos que 50 gramas) ou de derivados animais diariamente seja nocivo para a saúde quando a alimentação restante é natural e integral. Concordo plenamente que o consumo de qualquer quantidade de produtos de origem animal é maléfico para os bichos, mas estamos falando de saúde, não de ética. E digo isso, não apenas pelos estudos, mas pelo que vejo em consultório diariamente. Faço avaliações completamente objetivas, já que temos parâmetros muito claros para mensurar a condição de saúde de um indivíduo. O que faz a diferença para a saúde não é um ou outro alimento, mas como são combinados e como se associam aos demais hábitos de vida.

4) Não acho errado incentivar os onívoros a comerem cada vez menos carne e produtos de origem animal. Claro que ficaria muito mais feliz se todo mundo virasse vegetariano, mas o ótimo é inimigo do bom. Quando só serve o ótimo, mas ele não é possível, estamos permitindo que a crueldade persista.

5) Acredito que a mudança de consciência se faz de forma gradual, pouco a pouco desfazendo as marcas anteriores e incorporando as novas. Mudar é um processo e demanda tempo. Vamos ter que repetir as mesmas informações até que elas sejam incorporadas. Sempre com paciência e educação.

6) Meu lugar de fala é a ciência. Há muitos anos dou aulas de pós-graduação e em congressos para médicos e nutricionistas sobre o tema "Dietas vegetarianas". Falo sob o ponto de vista técnico, sem romantizar o vegetarianismo. Nesses locais, a entrada por meio da ética nunca foi bem recebida, apesar de já ter tentado dessa forma várias vezes.

7) Não me apodero da linguagem do vegano que, em teoria, conhece todas as facetas da exploração animal. Muito do que faço é dirigido a pessoas que querem se aproximar do vegetarianismo e que querem ter segurança com a escolha da alimentação, e para profissionais de saúde que querem trabalhar com o vegetarianismo. Sendo assim, de novo, ajusto o discurso conforme a linguagem que essas pessoas trazem.

8) Entendo que cada um escolhe onde procurar informações. Ao longo dos anos, desenvolvi uma linguagem que tem se mostrado eficaz junto ao público que pretendo agregar. Mas se a minha fala for tirada de contexto e misturada com comentários incoerentes feitos por terceiros, a mensagem se perde, e é isso que precisa ser observado.

Em resumo, meu trabalho é mostrar que a dieta vegetariana (inclusive a estrita) é segura e pode ser muito saudável, é expor os fatos, não mentiras que favoreçam o vegetarianismo, é me empenhar para os que buscam informação de qualidade sobre saúde e nutrição, é produzir material para vegetarianos, onívoros e qualquer um que queira entender o vegetarianismo.

Sendo assim, para você que lê este livro, a minha sugestão é que abra a sua mente e lide com as pessoas que ainda não o entendem com compaixão, educação e ética. Se quisermos construir um mundo diferente, precisamos lapidar esses aspectos para que tenhamos uma postura compatível com um mundo melhor.

Capítulo 3

MEU FILHO VIROU VEGETARIANO. SOCORRO!

Se você não vem de uma família vegetariana, está com este livro em mãos e escolheu ler este capítulo, é possível que:

- Você se interessou pelo livro porque seu filho ou sua filha é ou está tentando ser vegetariano(a).
- Você ganhou este livro para tentar compreender a opção de seu filho ou sua filha.

Quando se trata de um menor de idade, a preocupação tende a se multiplicar, pois a ideia coletiva que se tem do vegetarianismo é de que crianças, adolescentes e gestantes não podem praticá-lo, pois o risco de carência nutricional é muito grande. Mas isso não é verdade! Vou mostrar, passo a passo, quais cuidados devem ser tomados e finalizar este capítulo com um parecer que fiz para a Sociedade Vegetariana Brasileira sobre vegetarianismo para crianças. Antes, porém, vou falar sobre 12 pontos importantes.

1. Vou mudar a cabeça dele! Ele vai voltar a ser normal!

A dica que vou dar agora é a que considero a mais importante deste capítulo, pois ela tem o objetivo de aproximá-lo de seu filho ou sua filha, de ajudá-lo a entender as atitudes deles e de estabelecer um diálogo. Sugiro que você peça a seu filho que apresente todos os motivos que o levaram a se decidir pelo vegetarianismo. Escute de coração e mente abertos, sem críticas, sem olhares tortos! Muito provavelmente ele obteve informações em textos e filmes. Informe-se nas mesmas fontes, leia os textos e assista aos filmes. Você não precisa se tornar vegetariano, mas pelo menos entenderá o que está acontecendo e terá meios para conversar de igual para igual com seu filho. Atendo diversos adolescentes que são levados ao consultório pelos pais. A harmonia familiar surge quando os pais se abrem para entender o ponto de vista do filho, mesmo que não concordem com ele.

2. Ele vai ter carências nutricionais.

As deficiências nutricionais podem ocorrer em qualquer dieta. Como faço esse tipo de avaliação diariamente, posso afirmar que elas existem em vegetarianos e em não vegetarianos. A diferença está no tipo de deficiência. Escrevi um capítulo nesta obra e um livro inteiro (*Alimentação sem carne*) sobre o assunto, pormenorizando as informações sobre cada nutriente. Vale a pena conhecer sobre os principais componentes da dieta para auxiliar seu filho a organizar a alimentação.

3. Vou levá-lo ao médico.

É possível que você esteja pensando em levar seu filho a um médico, nutricionista ou psicólogo, pois quer saber se ele realmente está bem com a dieta seguida e com as novas ideias que vem expressando. Isso é válido e importante, mas sugiro que antes converse com ele com calma. A maioria dos profissionais não sabe quase nada sobre vegetarianismo e vai dizer que essa dieta causa deficiência de ferro e de proteína, entre outros absurdos. Para um vegetariano, ter que explicar para o médico as razões e os princípios que o motivaram a abandonar a carne pode ser um pouco estressante, o que piora se houver qualquer tentativa do médico de fazê-lo mudar de opinião ou de emitir comentários desnecessários. Um médico não precisa ser vegetariano para atender um vegetariano, mas muitos vegetarianos procuram um médico vegetariano. Se o médico estiver aberto a avaliar e orientar (se souber) o paciente sem críticas, o consultório pode ser um bom lugar para acabar com as inseguranças. Atualmente já há vários médicos e nutricionistas vegetarianos muito capazes, que podem direcionar as escolhas alimentares do seu filho com segurança.

4. Ele só lê sobre o assunto.

Não se assuste se seu filho passar tempo demais pesquisando sobre o vegetarianismo. De tanto ouvir as mesmas perguntas e comentários, é possível que ele queira aprender mais e ter respostas para oferecer aos outros. Depois de algum tempo, isso muda. Qualquer um passa bastante tempo entretido com uma nova descoberta.

5. Ele está radical.

Alguns vegetarianos, em especial os novos, costumam ter atitudes que os pais acham muito radicais, como não comer nada de origem animal e, se estiver viajando ou fora de casa, sem opções rápidas e fáceis, literalmente passar fome. O jovem tende a ser intenso em tudo, e no início a opção pela dieta vegetariana pode trazer muitas dificuldades fora e dentro de casa.

Fora de casa fica evidente que em quase todos os lugares os pratos têm algum animal ou derivado animal como ingrediente. Alguns restaurantes colocam caldo de carne até no molho ao sugo. O jeito é sair de casa preparado, com lanches à mão, ou saber que restaurantes servem pratos vegetarianos.

Em casa é inevitável que haja modificações no cardápio da família, mesmo que apenas um membro dela tenha se tornado vegetariano. A família ou o próprio vegetariano passarão a sempre preparar um prato sem carne. Incentive seu filho a aprender a cozinhar. Há cursos de culinária vegetariana em diversos lugares, mas é possível também apenas ensinar o bom e velho arroz com feijão.

6. Ele está diferente.

Observe que é muito bom que seu filho aja conforme os princípios que ele considera éticos e corretos, independentemente do que o mundo diz. Esse pode ser um indício de comportamento muito nobre. Valorize e incentive a busca de conhecimento e informações. Percebo em muitos pacientes adolescentes ou crianças um senso crítico e ético muito apurado. Observe seu filho.

7. Ele está se afastando.

Não fique com medo de perder seu filho. O vínculo que os une não se limita à ingestão do mesmo alimento. Todos podem se sentar à mesma mesa, conversar e rir sobre os mesmos assuntos enquanto comem alimentos diferentes.

8. Meu filho só fala sobre vegetarianismo.

Isso pode realmente ocorrer no início. Se você assistiu aos filmes e documentários a que ele assistiu e leu os textos que ele leu, vai entender seu grau de envolvimento, sua indignação (se a causa animal ou ambiental foi o que o despertou) ou sua empolgação (se a motivação dele veio da busca por saúde). Dê tempo ao tempo, pois a vida se encarregará de mostrar a ele que falar sobre esse assunto o tempo todo o torna desagradável e não abrirá os caminhos que ele gostaria para mostrar aos outros o que enxerga. Ajude-o a entender que há momentos e situações adequados a cada tema.

9. Achei que era só com os alimentos.

Agora seu filho só quer comprar roupas, cosméticos e produtos de higiene pessoal que não tenham sido testados em animais ou retirados deles. Isso costuma acontecer quando o vegetarianismo pega a pessoa pelo coração, por causa dos animais. Hoje em dia há diversos produtos, não se preocupe.

10. Vou ignorá-lo, pois logo vai desistir.

Não tenha tanta certeza disso. Em geral, quando um jovem toma essa decisão é porque algo forte o moveu internamente.

11. Ele está revoltado.

O fato é que, quando um jovem se torna vegetariano – principalmente quando é por amor aos animais –, não adianta brigar nem se opor. Ajude-o a sentir-se menos indignado, mais à vontade e útil no mundo em que vive. Como responsável do adolescente, acolha-o, ajude-o a entender melhor o mundo em que ele vive, perceba que ele também está trazendo uma visão nova do mundo para você. Não estou dizendo que é fácil lidar com a revolta, mas é necessário um posicionamento familiar positivo, de apoio. Acredite, a revolução interior que ele está sofrendo para ter coragem de tomar uma atitude que vai contra o hábito e os costumes da maioria da sociedade pede mais apoio do que ele demonstra precisar. Pelo menos por alguns instantes, veja pelos olhos dele.

12. E se ele estiver com anorexia nervosa?

Preste atenção ao comportamento de seu filho. Posso afirmar que, de todas as preocupações que você possa ter com ele, a anorexia é a pior, embora seja muito rara nos vegetarianos autênticos.

A anorexia nervosa é um distúrbio complexo do comportamento alimentar que envolve componentes de ordem psicológica, fisiológica e social. É uma doença que afeta principalmente adolescentes do sexo feminino. O anoréxico se recusa a manter o peso adequado em relação à altura mesmo quando está visivelmente abaixo do que seria saudável e esteticamente adequado. É um dos transtornos alimentares associados ao maior risco de morte. Veja os critérios de classificação da doença a seguir. O médico (em especial o psiquiatra) ou o psicólogo são os melhores profissionais para avaliar o quadro.

Portanto, anorexia nervosa é uma doença. O anoréxico pode ter diversos tipos de comportamento, que vão de restringir o consumo

Critérios diagnósticos de anorexia nervosa (*DSM IV – Manual diagnóstico e estatístico de desordens mentais*)

- Recusa em manter o peso corporal no limite ou acima do esperado para a idade e a altura (peso 85% abaixo do esperado).
- Medo intenso de ganhar peso ou de se tornar gordo, apesar do baixo peso que apresenta.
- Alteração na forma de percepção de seu peso e de sua forma corporal ou negação da seriedade de seu baixo peso.
- Em mulheres, após a menarca (primeira menstruação), ausência de ciclos menstruais por pelo menos três meses.

Subtipos

- Restritivo: O portador de anorexia nervosa não emprega medidas purgativas (vômitos autoinduzidos, mau uso de diuréticos, laxantes ou enemas) nem apresenta o comportamento de comer compulsivamente.
- Purgativo/Bulímico: O portador de anorexia nervosa pratica regularmente medidas purgativas ou apresenta o comportamento de comer compulsivamente.

Características comuns em portadores de anorexia nervosa (dados não fornecidos pelo *DSM IV*)

- Têm medo intenso de engordar, que depois se transforma em desejo de ficar magro.
- Fazem dietas restritivas – retirada de alimentos que engordam (doces, massas, carne vermelha). A restrição vai aumentando com o passar do tempo, podendo chegar ao jejum absoluto.
- Podem gostar de ler sobre comida e de cozinhar para a família.
- Podem ter rituais relacionados à comida (cortar em pedaços simétricos, colocá-los no prato de forma determinada).
- São introvertidos e perfeccionistas, sentem orgulho de seu autocontrole e apresentam pouco interesse sexual.
- Apresentam irritabilidade, dificuldade de se concentrar, menos energia e pensamentos relacionados exclusivamente à comida.

de alimentos até provocar vômito após as refeições. Como a carne é um alimento com elevado teor de gordura, é natural que em algum estágio da doença o anoréxico a retire do cardápio, assim como diversos outros alimentos calóricos (massas, queijos amarelos, doces).

Pessoas desinformadas podem pensar que os vegetarianos têm uma dieta verde ou são magros; no auge da ignorância, imaginam que eles ficam verdes de fome. Assim, o anoréxico pode se aproveitar do fato de a população em geral ainda ter ideias errôneas sobre a dieta vegetariana para usá-la como meio de esconder das pessoas com quem convive os indícios de que sofre de anorexia. Isso não é novidade.

Quem tem anorexia nervosa não costuma ter a capacidade intelectual reduzida. O anoréxico percebe que a sociedade não aceita passivamente as consequências da doença, cujo tratamento pode ser feito em casa e até em hospitais especializados, com internação e às vezes com alimentação por sondas (infundidas diretamente no estômago), entre outras possibilidades. Não é raro que tenha consciência plena do problema e ainda assim resista ao tratamento.

A dieta vegetariana não leva à anorexia nervosa, mas alguns anoréxicos aproveitam a ignorância da população e usam o vegetarianismo para tentar esconder a doença do seu meio social. Desde 1979 há estudos que demonstram que 54,3% das pessoas com anorexia nervosa usam o vegetarianismo para ocultar a doença.

A dieta vegetariana é adequada para crianças?

A adoção do vegetarianismo (inclusive estrito, forma em que se abstém do consumo de quaisquer derivados animais, como ovos e laticínios) é uma prática saudável para crianças quando há planejamento alimentar, como deve ser para qualquer tipo de dieta, inclusive onívora.

A literatura científica mostrou problemas de crescimento e desenvolvimento em crianças vegetarianas apenas quando a dieta não era planejada ou prescrita por profissionais de saúde, proporcionando inadequações que, mesmo se houvesse produtos animais ou seus derivados, causaria deficiência.

Nesse sentido, em diversos casos, as publicações confundiram vegetarianos com macrobióticos, sistema alimentar que não é necessariamente vegetariano e que tende a apresentar menor densidade energética e maior monotonia alimentar, favorecendo baixa ingestão energética (e consequentemente proteica) para crianças com quadros de seletividade alimentar.

Entre diversos estudos publicados, um deles apresenta quatro relatos de caso infantis que foram à Corte Inglesa para julgamento por denúncia de desnutrição, apontando a adoção da dieta vegetariana como a causa e sendo considerada uma forma de abuso infantil. Das quatro crianças, em três os tutores optaram por seguir com a dieta vegetariana sob supervisão nutricional, o que proporcionou as devidas adequações das condições nutricionais. Isso demonstra que a intervenção nutricional é capaz de trazer plena segurança à adoção do vegetarianismo.

Todos os estudos que mostraram problemas em relação à adoção do vegetarianismo na infância não foram pela exclusão de carne ou laticínios, mas sim por erros alimentares na sua estruturação, isto é, que não configuram o sistema alimentar vegetariano planejado.

Os estudos com alimentação planejada (e vitamina B12 suplementada) mostram crescimento e desenvolvimento adequado das crianças vegetarianas/veganas, sem redução da velocidade de crescimento quando comparadas às onívoras, inclusive com excelente quociente de inteligência dessas crianças (que excedeu em um ano a média cronológica).

A insegurança na recomendação do vegetarianismo ocorre simplesmente pelo fato de os estudos de revisão reunirem, sem diferenciação, os trabalhos com dieta bem e mal planejada, fazendo com que alguns autores cheguem a resultados contraditórios sobre a sua segurança.

A prática do vegetarianismo na infância é endossada por entidades internacionais como a Academia de Nutrição e Dietética Americana, a Sociedade Canadense de Pediatria e a Sociedade Italiana de Nutrição Humana, por não terem dúvida de que, com o planejamento adequado, ela é segura.

Com base na literatura científica disponível, e analisando os erros alimentares ocorridos em publicações sobre o tema, a seguir pontuo os cuidados que devem ser adotados na condução da criança vegetariana.

Não substituir o leite materno por leites vegetais caseiros

Essa prática era instituída pela alimentação macrobiótica e consistia em usar uma mistura de grãos chamada "kokoh", constituída de arroz, trigo, aveia, feijão e farinha de gergelim, em substituição ao leite materno. Essa conduta traz inadequações na oferta de macro e micronutrientes ao bebê e não deve ser utilizada.

Na impossibilidade de uso do leite materno, a Sociedade Vegetariana Brasileira (SVB) orienta que o bebê vegetariano receba fórmulas industrializadas substitutas do leite materno. Para famílias veganas, a fonte proteica deve ser outra que não a do leite de vaca, já disponível no mercado brasileiro. Isso garante a oferta adequada de macro e micronutrientes, já que elas são desenhadas de acordo com a necessidade infantil e pautadas no *Codex Alimentarius.*

Não suspender o aleitamento materno antes dos 6 meses de vida

Essa prática foi vista em comunidades espiritualistas em que a recomendação do dirigente do grupo era a suspensão do aleitamento materno aos 3 meses de vida e a sua substituição por bebidas vegetais caseiras à base de hortaliças, frutas e soja, ocasionando quadros de desnutrição severa.

A orientação da SVB é que se mantenha o aleitamento materno exclusivo até os 6 meses de vida e que seja continuado até pelo menos os 2 anos de vida (em conjunto com os alimentos ofertados a partir dos 6 meses de vida), como orientado pelas entidades de pediatria reconhecidas no Brasil e no mundo. Na impossibilidade do uso do leite materno, utilizar as fórmulas substitutas industrializadas.

Não manter a amamentação exclusiva por tempo prolongado

Há relatos de famílias que utilizaram o leite materno exclusivo (sem a introdução de outros alimentos a partir dos 6 meses de vida) por mais de um ano, ocasionando problemas nutricionais aos bebês. A SVB orienta que a introdução alimentar do bebê vegetariano ocorra no mesmo período preconizado para os onívoros: a partir dos 6 meses de vida.

Não restringir em demasia a ingestão de gordura de boa qualidade

Publicações mais antigas apontam grupos vegetarianos que ofereceram aos bebês dietas pobres em gordura, ocasionando redução da densidade energética da dieta e, com isso, aporte calórico insuficiente.

Produtos de constituição mais concentrada em gorduras saturadas devem ser evitados, como manteiga, requeijão, produtos processados e, no caso da gordura vegetal, a de coco, palma e margarina.

Não há evidências que apontem limitação de conversão do ômega-3 para as suas formas ativas (EPA e DHA) em grupos vegetarianos, mas é importante que haja uma redução da ingestão de ômega-6 e um aumento da ingestão de ômega-3 para que a proporção entre eles favoreça a formação de DHA, elemento importante no desenvolvimento da retina e do sistema nervoso central da criança. Alternativamente, pode ser ofertado o próprio DHA para a criança.

A mesma atenção deve ser dada à criança onívora, pois a fonte animal mais concentrada em ômega-3 é o peixe, produto nem sempre utilizado pelas famílias brasileiras.

A SVB orienta que não deve haver restrição de alimentos fonte de gorduras de melhor qualidade (ômega-3, 6 e 9, mas com menor quantidade de ômega-6) na dieta infantil até 2 anos de idade, visando otimizar o aporte energético e a oferta de ácidos graxos essenciais. Deve haver sempre a oferta de ômega-3 (linhaça, chia, nozes) ou o uso de DHA oriundo de algas, produto já disponível no mercado brasileiro. As proporções de gordura na dieta devem ser orientadas por nutricionista ou pediatra durante a prática da puericultura.

Priorizar o consumo de cereais, leguminosas e gorduras saudáveis em vez de verduras e legumes

A escolha de verduras e legumes na alimentação é sinônimo de escolhas salutares, mas são alimentos de maior volume e com baixa densidade energética. A criança, pela maior necessidade de energia por quilograma de peso e menor capacidade gástrica frente às suas necessidades energéticas, comparativamente ao adulto, necessita, ao adotar uma alimentação vegetariana (especialmente estrita), utilizar menor proporção de verduras e legumes para priorizar o maior consumo de alimentos vegetais de alta densidade energética, como cereais e leguminosas, podendo utilizar oleaginosas e óleo adicionado.

A SVB orienta que a base dos pratos utilizados na introdução alimentar seja composta por um terço do volume de cereais, um terço de leguminosas e um terço de verduras e legumes. À mistura, deve ser adicionado alimento fonte de ômega-3, como óleo de linhaça ou chia, que pode ou não ser misturado ao azeite de oliva, conforme avaliação do pediatra ou nutricionista que acompanha o bebê.

Nessa composição, atingindo-se a necessidade energética da criança, a necessidade proteica é ultrapassada com ampla margem de segurança. Os estudos que mostraram deficiência em crianças vegetarianas ocorreram apenas quando havia limitação de calorias ingeridas por restrição alimentar, e não pelo fato de a proteína utilizada ser de fonte vegetal.

Não negligenciar o uso da vitamina B12

Apesar de sua deficiência ser quase equivalente em populações vegetarianas e onívoras, sua atenção é maior em grupos vegetarianos e não pode ser negligenciada, como ocorreu em diversos relatos de casos de mães vegetarianas que não a suplementavam na gestação e não a ofereceram ao bebê durante seu crescimento e desenvolvimento, ocasionando inclusive danos neurológicos (nem sempre reversíveis).

A SVB recomenda que a vitamina B12 seja sempre prescrita às crianças nas doses iguais ou maiores às preconizadas pelas DRIs (referências de ingestão alimentar), de acordo com a avaliação pediátrica da mãe e do bebê desde o início da introdução alimentar.

Atentar às necessidades de cálcio e zinco do bebê

A não utilização de laticínios demanda fontes de cálcio vegetal de boa disponibilidade e maior concentração.

Além do leite materno e das suas fórmulas industrializadas substitutas, após 1 ano de vida do bebê há opções de bebidas vegetais fortificadas com cálcio, que ofertam de 240 a 400 mg desse nutriente em cada copo de 200 ml.

As folhas de maior concentração de cálcio e menor de oxalato (elemento inibidor da absorção do mineral), como couve, rúcula, agrião, salsa e hortelã, oferecem cerca de 130 mg de cálcio em 100 gramas do produto cru (1 prato grande), e o brócolis, 85 mg por 100 gramas, com biodisponibilidade maior do que a do leite de vaca. O uso das folhas em suco verde ou refogadas ajuda na redução de volume e facilita a concentração do mineral para consumo. É importante orientar os pais que o volume de folhas necessário para obter boas quantidades de cálcio é elevado e a sua escolha como fonte exclusiva de obtenção desse nutriente será insuficiente.

A SVB orienta ao profissional que acompanha o vegetariano se pautar nas quantidades preconizadas pelas DRIs e somar os produtos utilizados na alimentação para que o cálcio dietético atinja os valores preconizados para cada idade.

A necessidade de zinco pode ser contemplada com o uso de cereais e leguminosas (produtos que constituem a base da alimentação vegetariana na infância). De forma a reduzir o teor de ácido fítico, é necessário deixar os grãos de molho em água por pelo menos oito horas antes do cozimento, pois isso aumenta a sua biodisponibilidade. O gergelim (825 mg de cálcio por 100 gramas) e a chia (631 mg de cálcio por 100 gramas) também são fontes interessantes do mineral.

Os estudos são inconsistentes na tentativa de demonstrar que vegetarianos têm risco de deficiência aumentado quando comparados com onívoros. Se houver necessidade de aporte extra, o uso de suplementação pode ser instituído.

Atentar às necessidades dos demais nutrientes que o onívoro precisa suplementar

Devido a fatores não alimentares, alguns nutrientes devem ser suplementados para as crianças onívoras. É o caso do ferro (consumido pelo organismo pelo rápido crescimento tecidual), da vitamina D (pela exposição reduzida aos raios solares) e do iodo (produto já fortificado no sal brasileiro).

A SVB orienta a manutenção dos suplementos de ferro e vitamina D (na forma de D2 ou D3 oriunda de líquen para a criança vegetariana da mesma forma que se orienta para as onívoras.

É importante salientar que o uso de ferro oriundo da carne não supre as necessidades nem mesmo da criança onívora, sendo por isso recomendada sua suplementação. Em termos comparativos, um corte de carne vermelha rica em ferro, como o filé-mignon magro grelhado, contém 1,9 mg de ferro. A maior parte dos suplementos disponíveis no mercado brasileiro, para uso infantil, contém 2,5 mg do mineral por gota. Uma criança que usa 10 gotas de suplemento de ferro por dia teria que comer o equivalente a 1,3 quilo de filé-mignon por dia para obter a mesma quantidade do mineral, o que seria impraticável.

Capítulo 4

CIÊNCIA, FILOSOFIA E VEGETARIANISMO

Nenhum profissional consegue saber tudo sobre todos os assuntos. O acúmulo de conhecimentos torna necessária a existência de especialistas em diversas áreas. Não se trata de fragmentar o todo, mas de aprofundar algumas áreas do conhecimento. Mas há falta de preparo dos profissionais de saúde quando o assunto é vegetarianismo, pois nada, ou quase nada, se estuda nos cursos acadêmicos de formação profissional. Seja por causa de conceitos básicos de nutrição mal compreendidos, seja por extrapolações de experimentos animais que não são reais em humanos, ou seja simplesmente por falta de estudo, mitos como a carência de proteína serão motivo para muitos profissionais desaconselharem a adoção do vegetarianismo.

No meio científico existem algumas bibliotecas internacionais em que os artigos são publicados e indexados continuamente. Essas bibliotecas são abertas para qualquer pessoa. Para encontrá-las, basta buscar na internet por termos como PubMed, Medline, Scielo. Nesses *sites* os artigos são indexados por palavras-chave, autores, nome das publicações etc., e é possível ler o texto na íntegra ou um resumo dele (algumas universidades têm senhas para que seus membros acessem os artigos na íntegra, mas dá para comprar os que interessam). O conhecimento científico do mundo está ali, e a metodologia empregada para chegar a ele é explícita. Assim, todos os estudiosos de determinado tema chegarão às mesmas publicações.

Mas preste atenção: muito do que se lê em livros e textos da internet são crendices e opiniões de pessoas que não avaliaram nenhum estudo e falam o que bem entendem. Há livros, inclusive de médicos e de nutricionistas, com abordagens pseudocientíficas, que servem apenas para confundir o leitor.

Escrevi este capítulo para explanar que diversas entidades internacionais não vegetarianas, utilizando os bancos de dados de artigos publicados, apoiam a adoção da dieta vegetariana. Desde 1993 a Associação Dietética Americana afirma que a dieta vegetariana bem planejada – inclusive a vegana – é saudável e apropriada a todas as fases da vida, inclusive à infância e à gravidez, promovendo crescimento e desenvolvimento adequados. Em 2003, essa mesma associação, em conjunto com os nutricionistas do Canadá, ao mesmo tempo que manteve o posicionamento anterior, acrescentou a recomendação de que, diante de um indivíduo que manifeste a intenção de aderir a uma dieta vegetariana, os profissionais da área de nutrição têm a responsabilidade de apoiar e incentivar essa adesão. Tendo em vista os inúmeros estudos que demonstram seus efeitos positivos à saúde cardiovascular, a Associação Americana de Cardiologia é também explicitamente favorável à adesão da dieta vegetariana. As seguintes entidades também se posicionam favoravelmente ao vegetarianismo:

- Associação Americana de Endocrinologia Clínica
- Clínica Mayo
- Departamento de Agricultura dos Estados Unidos
- Faculdade de Ciências da Família e do Consumidor da Universidade da Geórgia
- Food and Drug Administration (FDA)
- Instituto Americano para a Pesquisa do Câncer
- Kids Health, Fundação Nemours
- Universidade Loma Linda

A dieta vegetariana é adequada ao ser humano, mas, como qualquer dieta, precisa de atenção. Os mitos nutricionais e os ajustes necessários estão pormenorizados no meu livro *Alimentação sem carne*.

> Não adianta ter uma filosofia; é preciso ser neutro para avaliar se essa filosofia está de acordo com a verdade. Não adianta apenas acreditar, é preciso verificar.

Para os que buscam o vegetarianismo por questões espirituais, sugiro prudência e rejeição da dualidade. Não existe diferença entre ciência e espiritualidade. A ciência é um conjunto de métodos lógicos que permitem a observação sistemática de fenômenos empíricos com o objetivo de compreendê-los. A ideia de buscar uma explicação satisfatória que demonstre o funcionamento das leis físicas e divinas não exclui a rejeição do "sobrenatural". No entanto, esse "sobrenatural" também tem regras que devem ser descobertas. Um pesquisador que utiliza animais em experimentos está tentando fazer ciência, da mesma forma que outro que repudia essa atitude. Ambos estão atrás de respostas, mas com conceitos éticos completamente divergentes. Não confunda: a ciência busca explicações, mas é o ser humano que escolhe se fará isso de forma ética ou não.

Podemos aplicar a ciência a todas as áreas da vida, desde os relacionamentos pessoais até as disciplinas da biologia e das ciências exatas, passando pelas religiões e pelas filosofias espiritualistas. A ciência e a espiritualidade devem chegar a um consenso. Se isso não ocorre é porque uma delas, ou ambas, ainda não conseguiu decifrar as leis de funcionamento da vida.

O ser humano gosta de ouvir apenas aquilo que faz eco às suas ideias, mas sem imparcialidade não há condições para um julgamento adequado. Quem defende um ponto de vista de forma parcial não pode ter uma visão ética de seus propósitos. Não são as leis divinas que têm de se adaptar às nossas convicções, mas nossas impressões que devem se ajustar às leis divinas após exaustivas verificações com um olhar não tendencioso. Seja neutro em suas avaliações e confira os resultados na prática. A metodologia científica oferece as bases para que as experiências sejam feitas com segurança, mas não confunda o médico ou o nutricionista com o conhecimento. Esses profissionais podem ser os representantes do conhecimento pesquisado, mas nem sempre é isso que ocorre.

Um médico ou um nutricionista que de fato conheça o corpo humano e os alimentos não precisa ser vegetariano para atender e entender um vegetariano. Ele precisa apenas saber como avaliar e orientar as escolhas do paciente. Não cabe ao profissional de saúde questionar e muito menos desrespeitar os motivos religiosos e nem mesmo de ordem moral ou ética dos seus pacientes quando isso não implica risco à saúde deles ou à dos que os rodeiam. O conhecimento que o profissional de saúde precisa ter sobre o paciente concentra-se no princípio de compreendê-lo melhor para poder ajudá-lo a permanecer saudável. Se o profissional desrespeitar a escolha do paciente, este pode procurar outro mais qualificado para ajudá-lo. Outro ponto de atenção é o cuidado com profissionais que utilizam o título de médico, nutricionista ou qualquer outro para afirmar coisas que não têm nenhum fundamento científico.

Meu médico é naturalista

Não importa se seu médico é naturalista, homeopata, antroposófico, alopata ou acupunturista. Seja qual for a formação dele, há maneiras muito claras de avaliar o estado nutricional de uma pessoa.

É comum chegarem ao meu consultório pacientes que seguem tratamentos naturais há anos sem nenhuma avaliação de sua eficácia e com deficiências nutricionais importantes. Um exemplo típico é o de crianças pequenas (com menos de 2 anos de idade) que não recebem suplementação de ferro porque estão aparentemente saudáveis, e os profissionais que cuidavam delas acreditavam não ser natural receber suplementos de nenhuma ordem. Quando começam a receber o ferro, essas crianças apresentam aumento da disposição e da energia para as atividades diárias e aumento do apetite e do desenvolvimento mental – ou seja, havia deficiência do metal no organismo.

Há diferentes formas de avaliação das deficiências nutricionais, e em muitos casos os exames laboratoriais são bastante importantes. Todos os nutrientes de atenção numa alimentação vegetariana podem ser vistos de forma transparente por meio de exames de sangue.

Capítulo 5

QUEM DISSE QUE QUEM COME CARNE COME BEM?

É comum a ideia de que, se houver carne na dieta, a chance de desequilíbrio nutricional é menor, mas isso não é verdade, pois os onívoros podem ter diversas inadequações alimentares. A ideia de que quem come carne come bem não condiz exatamente com a realidade, conforme mostram as diretrizes do Ministério da Saúde sobre a questão.

As diretrizes do Ministério da Saúde

A redução do consumo de carne, com o consequente aumento do consumo de leguminosas (feijões), frutas, cereais (de preferência integrais), legumes e verduras é preconizada pelo *Guia Alimentar para a População Brasileira*, produzido pelo Ministério da Saúde. Segundo essa diretriz, os principais alimentos para uma alimentação saudável são cereais, pães, massas, frutas, legumes, verduras, leguminosas e outros vegetais ricos em proteína.

A edição mais recente do guia foi publicada em 2014 em parceria com o Núcleo de Pesquisas Epidemiológicas em Nutrição e Saúde Pública da Universidade de São Paulo (Nupens/USP) e com o apoio da Organização Pan-Americana da Saúde (Opas/Brasil). Esse guia fala muito sobre a necessidade de a alimentação ser sustentável, favorecer os pequenos produtores, incentivar as refeições em família, o preparo caseiro de alimentos e a busca por produtos o menos processados possível e dentro da cultura local. O novo guia prezou muito mais pela qualidade das escolhas do que pela tabulação de porções de grupos alimentares que devem ser usadas, de forma que a sua leitura aproxima a pessoa que não é profissional de saúde ao entendimento do que deve fazer para melhorar a sua alimentação.

Os dados estatísticos apresentados a seguir são os que estavam presentes na edição anterior do guia, mas que entendemos que ainda são válidos, ainda mais frente ao aumento crescente de sobrepeso e obesidade no país.

Em conjunto, os cereais, as frutas, os legumes, as verduras e as leguminosas devem fornecer de 55% a 75% do total de energia diária da alimentação. Segundo o Ministério da Saúde, os alimentos de origem animal são saudáveis apenas se seu consumo for moderado. No entanto, o consumo de carne deixou de ser moderado há muito tempo, e o brasileiro está excessivamente exposto aos seus malefícios. Em análise comparativa, conforme divulgado no *Guia Alimentar para a População Brasileira*, esta era a realidade brasileira entre 1974 e 2003:

- Cereais, raízes e tubérculos: seu consumo diminuiu de 42,1% para 38,7%. O consumo mínimo recomendado é de 45%. Assim, é preciso aumentar a ingestão desses itens em 20%.
- Frutas, legumes e verduras: sua ingestão era pequena, correspondendo apenas a 3% ou 4% do valor energético consumido. O consumo preconizado é de 9% a 12% por dia. É necessário aumentar pelo menos três vezes a ingestão desses alimentos, que deve chegar ao mínimo de 400 gramas por dia.
- Feijões: seu consumo se manteve na faixa preconizada (53,68%), mas havia uma preocupante tendência de queda, que precisa ser revertida em curto espaço de tempo. Em comparação ao consumo em 1974, a redução foi de 31%.
- Carne, laticínios e ovos: seu consumo (especialmente o de carne) passou de 14,9% para 21,2%. É importante frear esse aumento. Nas famílias de baixa renda, o consumo era de 11,7%, enquanto nas de maior renda era de 24,1%.
- Carne: seu consumo aumentou 50%. A ingestão de carne bovina teve um crescimento de 23%; a de carne de frango, 100%; a de embutidos (presunto, salame etc.), 300%.

- Sal: o consumo em domicílio (não foram computadas as refeições fora de casa) era de 9,6 gramas por dia por pessoa, mas não deveria ultrapassar 5 gramas. Portanto, a ingestão de sal deveria ser reduzida pela metade. Outros estudos solicitam redução em três vezes.
- Refeições prontas: o consumo de refeições prontas e misturas industrializadas aumentou 82%. O percentual de despesas com alimentação fora do domicílio nas zonas urbanas foi de 25,7%; nas áreas rurais, 13,1%.
- Gordura: recomendou-se que o consumo total de gordura fosse reduzido em 10%; na população urbana, em 16%.

Diante desses dados – em especial o impressionante aumento de 300% no consumo de embutidos, cuja ingestão é a que mais aumenta o risco de câncer de intestino grosso –, é sensato estimular a população a aumentar o consumo de alimentos de origem vegetal (cereais, leguminosas, batatas, legumes, verduras e frutas) e reduzir o consumo de carne. Além disso, tendo em vista o crescimento do número de refeições feitas fora de casa, é desejável que restaurantes e afins auxiliem o brasileiro a encontrar opções de alimentação mais saudável, corrigindo o desequilíbrio entre o consumo excessivo de carne e a baixa ingestão de alimentos de origem vegetal apontado pelo Ministério da Saúde.

Também com base em todos esses fatores, foi lançada oficialmente no dia 3 de outubro de 2009 a campanha Segunda sem Carne, da Sociedade Vegetariana Brasileira em parceria com a Secretaria Municipal do Verde e do Meio Ambiente de São Paulo. Esse é o maior evento de incentivo público já realizado em nosso país com o objetivo de reduzir o consumo de carne e despertar na população brasileira a curiosidade sobre o vegetarianismo. A campanha incentiva o aumento da ingestão de alimentos de origem vegetal, conforme preconizam as diretrizes do Ministério da Saúde, e estimula os restaurantes a aprender a elaborar pratos vegetarianos.

Capítulo 6

O QUE A DIETA VEGETARIANA PODE FAZER COM MEU ORGANISMO?

Antes de mais nada, devo dizer que a alimentação sem carne pode ser excelente, mas não é a cura para todos os problemas do corpo físico. A dieta vegetariana pode provocar algumas modificações no seu organismo. A maioria das pessoas relata melhora na digestão, na evacuação e na disposição física. No entanto, isso depende de como era a alimentação e de como ela ficou. Caso a dieta anterior fosse rica em frutas, verduras e alimentos naturais, com pouca quantidade de carne, as alterações corporais serão pequenas. No entanto, se ela fosse rica em cereais refinados, carregada de gordura, com maior quantidade de carne e laticínios, e a dieta vegetariana adotada for mais natural, as diferenças serão marcantes.

Os alimentos naturais e integrais proporcionam diversos benefícios ao organismo. Alguns se manifestam no dia a dia, outros são silenciosos e se materializam na forma de prevenção de diversas doenças.

Segundo estudos científicos, os vegetarianos têm mais conhecimento de nutrição do que os onívoros. Isso pode ser resultado dos desafios sociais e das perguntas frequentes sobre nutrientes que os vegetarianos têm de

A dieta vegetariana pode ser saudável ou não, assim como a onívora. O que faz a diferença é a forma pela qual a alimentação é estruturada.

responder cotidianamente, que os levam a buscar informações. De forma geral, a dieta vegetariana tende a ser mais variada e saudável do que a onívora. O consumo de mais de 65 a 100 gramas de carne por dia é sempre um exagero, e, quanto mais aquecida e processada a carne, pior.

O que tende a melhorar com a dieta vegetariana

De modo geral, ao adotar a dieta vegetariana, as pessoas passam a ingerir composições diferentes de vários nutrientes, resultando em diversas modificações no organismo.

Antioxidantes

Nosso organismo forma continuamente radicais livres, compostos que, em quantidade excessiva, favorecem o surgimento de diversas doenças. A dieta vegetariana tende a oferecer mais antioxidantes, nutrientes que, presentes em maior quantidade nos alimentos de origem vegetal e nos integrais, neutralizam os radicais livres em excesso e melhoram o funcionamento do organismo, reduzindo a pressão arterial (pois favorecem a maior dilatação dos vasos sanguíneos) e protegendo contra doenças cardiovasculares (por manter os transportadores de colesterol mais íntegros e reduzir a tendência de a gordura se depositar nos vasos sanguíneos) e diversos tipos de câncer. Estudos demonstram que pessoas com doenças inflamatórias nas articulações podem se beneficiar com a adoção da dieta vegetariana, assim como os diabéticos.

De forma geral, os alimentos vegetais contêm uma concentração 64 vezes maior de antioxidantes do que os de origem animal. Numa dieta onívora bem planejada, a recomendação de uso é de uma porção de carne ao dia e três porções de leite e derivados, computando praticamente 500 kcal de produtos destituídos de antioxidante. Em outras palavras, numa dieta de 1.500 kcal (teor comum de necessidade de uma mulher adulta), destina-se 33% da dieta a alimentos pobres em antioxidantes. A troca desses produtos por alimentos de origem vegetal aumenta em pelo menos 33% a ingestão de antioxidantes, teor muito expressivo.

Fibras

Graças ao maior teor de fibras, a alimentação vegetariana proporciona um meio interno intestinal mais rico em bactérias benéficas, exercendo um efeito positivo sobre o sistema imunológico, sobre a frequência e o volume de evacuações e sobre a absorção de ferro e cálcio pelo organismo. As fibras auxiliam no controle dos níveis de colesterol. Por causa delas, parte do colesterol ingerido ou excretado pela vesícula biliar no intestino é levada para as fezes e, portanto, não é reabsorvida (não vai para o sangue). As fibras solúveis, presentes em alimentos como feijão, aveia, cevada e maçã, são fermentadas pelas bactérias no intestino grosso e transformadas em ácidos graxos de cadeia curta, compostos que, após absorvidos, modulam a produção de colesterol no fígado. O fígado produz de 70% a 80% do colesterol circulante no organismo onívoro e 100% do que o vegetariano estrito precisa.

Ingeridas em maior quantidade, as fibras auxiliam no controle da saciedade por diversos motivos. Primeiro, fazem com que o estômago permaneça com alimentos por mais tempo (já que as fibras retardam o esvaziamento gástrico) e com isso reduzem a produção de grelina, um hormônio que "avisa o cérebro" que estamos com fome. Segundo, ao atingir o final do intestino delgado, estimulam a formação e a liberação de dois hormônios: o GLP-1, que aumenta a formação de células produtoras de insulina, reduz a velocidade de esvaziamento do estômago e, no cérebro, produz a sensação de saciedade; e o peptídeo YY, que reduz o peristaltismo, a velocidade do trânsito intestinal, provocando a sensação de que estamos empanturrados e reduzindo a sensação de fome. Por todos esses motivos, o controle da obesidade, das doenças cardiovasculares e do diabetes são favorecidos.

A quantidade de estudos científicos disponíveis que associam as bactérias intestinais (microbiota) com a saúde do corpo como um todo é crescente. Enquanto um ser humano pode durar 100 anos, uma bactéria intestinal pode durar apenas 2 dias. Isso significa que mudanças dietéticas rápidas já impactam na nossa microbiota. Basta observar como muda a consistência e o odor das fezes após um final de semana de excessos alimentares. Essas mudanças são por conta da alteração dessa microbiota.

As bactérias boas que temos no intestino conseguem se alimentar de carboidratos e fibras. As ruins se alimentam de gordura e proteína.

Assim, os alimentos consumidos determinam de bactérias que se desenvolverão no seu intestino.

Gordura

A dieta vegetariana apresenta menor teor de gordura saturada e maior teor de gordura poli-insaturada e pode reduzir significativamente os níveis de colesterol do organismo. Essa alteração pode modificar as membranas celulares, favorecendo o transporte mais adequado de componentes presentes no sangue e nas células, inclusive a glicose (açúcar no sangue), facilitando o controle do diabético.

Recomenda-se que os vegetarianos não exagerem na ingestão de gordura ômega-6 e enfatizem o ômega-3, para manter esse controle ainda mais adequado. Falarei sobre isso mais adiante.

Aminoácidos

Retirar a carne e outros componentes de origem animal do cardápio resulta em maior ingestão de aminoácidos não essenciais (aqueles que conseguimos produzir), o que pode aumentar a atividade de um hormônio chamado glucagon. Somado aos menores níveis sanguíneos de insulina (decorrentes da maior sensibilidade causada pela dieta mais rica em fibras e com menor teor de gordura saturada), o resultado final é redução da gordura circulante, mais facilidade para a perda de peso e menor risco de alguns tipos de câncer (pela redução de um composto chamado IGF-I).

Leptina

Quando estamos engordando, o tecido adiposo produz um hormônio chamado leptina, que avisa o cérebro para parar de comer, ou seja, é um sinalizador de saciedade.

No processo natural, quanto mais a pessoa engorda, mais leptina ela produz. No entanto, essa maior quantidade de leptina circulante começa a ser ignorada pelo cérebro, em uma condição que chamamos "resistência à leptina", fazendo com que o cérebro não perceba mais a saciedade. É como se fosse uma bola de neve: cada vez mais bagunçado, o organismo se bagunça ainda mais. Imagine a leptina perturbando o cérebro o tempo todo para dizer ao organismo parar de comer e o cérebro ignorando essa perturbação.

Os estudos mostram que dieta vegetariana é mais eficaz que a onívora em reduzir os níveis sanguíneos de leptina conforme ocorre o emagrecimento. Assim, ela ajuda a controlar o peso.

Digestão

Alimentos com maior teor de gordura e proteína, como é o caso de carne, queijo e ovos, têm digestão mais lenta e difícil. Sua substituição por alimentos de origem vegetal tende a tornar a digestão mais fácil e o período pós-prandial (após a alimentação) mais agradável, com menos sono durante o dia. Algumas pessoas relatam melhora do sono à noite quando fazem um jantar vegetariano. Isso pode ser explicado, em parte, pelo melhor esvaziamento gástrico, que tende a ser bem mais lento quando a gordura e a proteína da carne e dos laticínios estão presentes. Além disso, a redução ou a ausência de proteína animal costuma levar ao aumento proporcional do carboidrato ingerido, o que diminui a sensação de peso no estômago e torna o corpo mais "leve" para dormir. O carboidrato, em detrimento do excesso de proteína, pode melhorar a qualidade do sono pela estimulação de formação de serotonina e, consequentemente, melatonina.

Fitoquímicos

Os fitoquímicos são substâncias que auxiliam o bom funcionamento orgânico e a prevenção de diversas doenças crônicas. Os vegetarianos tendem a ingerir mais desses compostos.

Alergias e intolerâncias alimentares

Os alimentos mais propensos a provocar quadros de alergias alimentares são leite, ovo, soja, amendoim, trigo e frutos do mar. Para essas alergias, não há antídotos; deve-se excluir o produto da dieta. E isso é mais comum do que se imagina.

A intolerância à lactose, por exemplo, ocorre em 70% da população mundial, sendo vista em 100% dos japoneses e 80% dos negros. Trata-se da dificuldade total ou parcial de digerir o carboidrato do leite, que chamamos lactose. Isso ocasiona estufamento intestinal, distensão, cólicas, gases e frequentemente diarreia. Algumas pessoas podem ter quadros de refluxo e enjoo também.

A indústria adiciona aos produtos lácteos a enzima lactase, que digere a lactose; assim, é possível vender um produto com a indicação "sem lactose". Ocorre que muitos indivíduos intolerantes relatam que nem sempre conseguem ficar sem sintomas ao consumirem esses produtos, sugerindo que a neutralização pelo método industrial nem sempre é total. Por outro lado, o uso da enzima lactase é menos eficaz ainda, pois a quantidade ingerida de enzima vai depender da quantidade de laticínio consumida, e isso varia de refeição para refeição. Ou seja, no fim das contas, a exclusão dos laticínios é a forma mais eficaz de resolver o problema.

No caso das alergias, o problema ocorre com relação à proteína ingerida, e não ao carboidrato presente no alimento. A reação alérgica à proteína do leite é bem menos comum, em termos de prevalência, do que a intolerância à lactose, ficando na faixa dos 3% da população e afetando mais crianças do que adultos.

Para o teste terapêutico da alergia, é necessário ficar sem ingerir nada do alimento e seus derivados por cerca de três semanas. A pessoa alérgica melhora ao suspender o consumo e piora ao reintroduzir. Diferente da intolerância ao carboidrato, a alergia se manifesta mesmo com quantidades pequenas da proteína, pois o estímulo alérgico se mantém. Se você desconfia ter alergia à proteína do leite e quer fazer o teste, suspenda totalmente os laticínios e providencie uma fonte segura de cálcio.

Algumas pessoas, mas não todas, também relatam melhora importante no quadro de rinite, sinusite e asma depois de eliminar o leite de vaca da dieta.

O que a dieta vegetariana pode piorar

A queixa principal dos vegetarianos é unânime: o meio social. Por isso, elaborei um capítulo inteiro sobre os comentários inconvenientes que o vegetariano costuma ouvir.

Outro ponto a ser considerado é a dificuldade de encontrar alimentos fora de casa. Para os ovolactovegetarianos, essa dificuldade é pequena, mas no caso dos vegetarianos estritos pode ser mais complicado. Antes de se tornar vegetariano, você não precisava se preocupar se o molho de tomate ou aos quatro queijos do seu restaurante italiano preferido levava caldo de frango ou de carne. Felizmente, a maioria dos restaurantes está atenta a essa questão e oferece opções veganas.

A flatulência pode piorar no início, pois a maior chegada de fibras vai modificar a população de bactérias intestinais, especialmente as fibras de digestão parcial, chamadas rafinose e estaquiose, mais presentes nas leguminosas. Para minimizar esse efeito, é interessante aumentar progressivamente o consumo de leguminosas e deixá-las de molho antes de cozinhar. Para isso, deixe-as submersas em água por 12 horas em temperatura ambiente, troque a água e deixe mais 12 horas; depois descarte essa água e cozinhe com água nova. Isso ajuda bastante.

Do ponto de vista nutricional, se você não cuidar da vitamina B12, sua saúde não será plena. Há um composto no sangue chamado homocisteína que pode se elevar na falta de vitamina B12, B9 (folato) e B6. No caso dos vegetarianos, a carência de B12 é a principal responsável por essa elevação. A solução do problema é simples: basta ingerir a vitamina B12. Se os níveis de homocisteína permanecerem elevados durante anos, o risco de doenças cardiovasculares e de Alzheimer aumenta, pois o composto tem ação oxidante sobre os tecidos. No entanto, mesmo com níveis mais elevados de homocisteína, os vegetarianos são menos propensos às doenças cardiovasculares e ao Alzheimer do que os onívoros. A explicação para isso está no melhor estado de defesa (antioxidante) do organismo vegetariano como um todo, reduzindo os problemas decorrentes da homocisteína elevada; mesmo assim, ela deve ser controlada.

E quem elimina os laticínios da alimentação precisa tomar cuidado com a ingestão de cálcio. É possível e fácil manter os níveis adequados de cálcio no organismo, mas, por falta de cuidado, alguns veganos tendem a ingerir menos do que o recomendado.

Capítulo 7

COMO SE TORNAR E SER VEGETARIANO COM SEGURANÇA EM 18 ETAPAS

Interiormente, muitas pessoas são vegetarianas há anos, mas ainda não sabem. Algumas descobrem que não precisam consumir carne, e isso as liberta de comer algo de que nunca gostaram. Outras se sentiriam melhor se deixassem de comer carne, mas o meio social as constrange a não parar. Seja qual for seu motivo, vamos falar sobre como dar esse passo definitivamente, sem medo.

Do inconsciente coletivo vem a ideia de que é delicado tornar-se vegetariano, mas acredite: muitas pessoas melhoram bastante a alimentação ao se tornar vegetarianas. Conforme descrevi no capítulo 1, "Definições, conceitos e razões", as populações vegetarianas com dieta não planejada têm menos risco de doenças em comparação às de alimentação onívora não planejada. De qualquer forma, vamos discutir passo a passo seus hábitos atuais e o que é preciso fazer para adotar uma dieta vegetariana com toda a segurança.

Hábitos e alimentação adequados para onívoros e vegetarianos

A primeira regra é simples! Não é só a alimentação que influencia a saúde. Há outros fatores que, se negligenciados, causam muito mais danos à saúde do que a má alimentação.

1. Cuide de seu sono

Nenhum organismo permanece saudável sem descansar suficientemente. Não basta dormir; é preciso que o sono seja adequado em termos de quantidade e qualidade. Acordar cansado pode ser sinal de desrespeito às horas necessárias de descanso, de sono não reparador e até mesmo de deficiência de ferro, entre outras possibilidades. Apresentar dificuldade para adormecer, acordar no meio da noite – ou poucas horas antes do despertador – sem motivo aparente e ter dificuldade para adormecer de novo pode ser um sinal de distúrbios emocionais. Resumidamente: dificuldade em adormecer tende a ter ligação com ansiedade, acordar no meio da noite tem ligação com preocupação, e acordar antes da hora que poderia acordar, cansado, com sono e podendo dormir mais e não conseguir, tem relação com depressão.

2. Pratique atividade física regularmente

Um trabalho corporal adequado nos deixa mais dispostos e preparados para o dia a dia e tende a promover um sono melhor. Inúmeros estudos científicos demonstram os benefícios para a saúde de exercícios praticados corretamente. É aconselhável passar por uma avaliação médica antes de iniciar qualquer atividade física, pois há momentos em que ela deve ser enfatizada e outros em que deve ser evitada, e isso nem sempre é visível para o leigo. Diferentes problemas de saúde pedem diferentes tipos de atividade física. Um educador físico pode elaborar um programa em conjunto com o médico em caso de necessidades específicas. Cuidado com o excesso! Atividade física excessiva causa lesões e reduz a atividade do sistema imunológico. O tempo e a intensidade dos exercícios precisam ser supervisionados por um preparador físico, pois há critérios bastante claros para detectar o momento de intensificá-los. Dor muscular no dia seguinte é um sinal de lesão das fibras musculares, importante para a hipertrofia do músculo; porém, a dor não pode ser excessiva nem durar muitos dias.

3. *Cuide da cabeça*

A saúde vai além do corpo físico, devendo integrar os aspectos intelectual, emocional e mental do indivíduo. Conhecer as razões que o fazem reagir aos acontecimentos e as que o levam a padrões de comportamento às vezes repetitivos podem ajudá-lo a se libertar interiormente. Não tenha receio de procurar o auxílio de profissionais qualificados quando a ajuda ao seu redor não for suficiente. Ponha os preconceitos de lado. Todos têm habilidades e coisas boas para oferecer ao mundo, mas também muitas inquietudes. Você não foi e não será o único a passar por momentos difíceis.

O estado emocional tem ligação direta com o corpo físico, atuando nele por meio de hormônios e outros estímulos. O controle do estresse está vinculado a essa questão. A atividade física pode influenciar bastante o estado emocional, assim como algumas deficiências nutricionais.

4. *Não fuja do médico*

É bom fazer avaliações periódicas. Algumas pessoas pensam que o médico sempre acha uma doença, para a qual prescreve remédios, mas isso não é verdade. Há problemas silenciosos, como o colesterol alto, que se manifestam apenas décadas depois, em situações que podem levar à morte. A prevenção é a melhor forma de envelhecer bem. Todos nós vamos morrer, mas, se pudermos passar pela vida com um corpo mais saudável e com energia, realizaremos, aprenderemos e viveremos muito mais e melhor.

Na avaliação médica, o profissional deve observar o que poderá causar problemas ao paciente no futuro e auxiliá-lo a resolver os problemas do momento com o mínimo de medicação. Cada situação requer uma abordagem. Às vezes, a alimentação é mais importante; às vezes, a atividade física ou a medicação são muito necessárias.

Atendo muitos vegetarianos que procuram tratamentos mais naturais, apesar de não ser uma regra. Não se iluda com a ideia de que o corpo resolve tudo, pois muitas vezes a ajuda externa é necessária, por mais naturalista que seja o tratamento.

Sugiro veementemente que você faça uma avaliação médica e nutricional para detectar deficiências antes de se tornar vegetariano. Como o terrorismo vai se instalar ao seu redor quando parar de comer carne, você vai acabar por fazer esse *check-up* algum tempo depois, e as deficiências nutricionais preexistentes serão colocadas na conta da falta da carne. Um médico experiente saberá desde quando essas deficiências estão instaladas no seu organismo. Pessoas que comem carne também têm deficiências nutricionais.

5. Mantenha o peso e a circunferência abdominal adequados

Pesar acima da faixa adequada para a altura favorece o surgimento de diversas doenças. Não importa se a dieta é natural; o sobrepeso é um problema. O tecido gorduroso não é apenas um tecido de depósito, como se pensava antigamente. Hoje sabemos que é um órgão endócrino, ou seja, produz diversos hormônios que favorecem o surgimento de diabetes, pressão alta, inflamação e doenças cardiovasculares. E quanto mais gordura abdominal (a barriguinha), pior!

Quem tem muita gordura corporal engorda com mais facilidade. A pessoa se esforça na restrição calórica e demora duas semanas para emagrecer 1 quilo; se come um docinho no fim de semana, engorda 1 quilo. Quem tem pouca gordura corporal emagrece com mais facilidade. A pessoa demora duas semanas para engordar 1 quilo (com muito esforço), mas perde 1 quilo se ficar sem uma refeição. Para quem quer aprofundar mais o entendimento do metabolismo e do corpo humano, sugiro a leitura do meu livro *Emagreça sem dúvida*, que contém muita informação a respeito do funcionamento do nosso metabolismo.

Ao fazer a avaliação corporal dos meus pacientes, costumo explicar a questão com uma frase bíblica: "A quem muito tem, muito lhe será dado. A quem pouco tem, o pouco lhe será retirado". Tome cuidado se você é dos que muito têm, pois comer no mesmo ritmo dos que pouco têm não é um bom negócio para você! Cada pessoa deve ter uma estratégia diferente para ganhar, perder ou manter o peso. Uma avaliação médica e nutricional é fundamental para esse planejamento.

Nunca deixe de se olhar no espelho. Não se trata apenas de vaidade (apesar de um pouco de vaidade ser saudável), e sim de verificar como anda seu corpo. Após os 30 anos de idade, muitas pessoas já sentem que o peso aumenta mais rapidamente. Na menopausa, a mudança tende a ser mais agressiva, mas controlável.

6. Cigarro? Nem pensar! Bebida alcoólica? Se conseguir, não consuma.

Não há nem mesmo uma quantidade mínima de cigarro considerada inofensiva. Se você não consegue se livrar do vício sozinho, não pense duas vezes antes de procurar ajuda. Há métodos naturais, como usar a própria força de vontade ou a acupuntura, mas também existem medicamentos para esse fim.

Com relação às bebidas, o álcool por si só tem efeito comprovado de toxicidade. Alguns estudos associaram benefícios à saúde cardiovascular com pequenas doses de álcool ingerida, mas também há vários estudos apontando não apenas para a ausência de efeitos positivos, como para a presença de negativos. Minha recomendação é não usar.

O possível efeito de proteção cardiovascular do vinho tinto é atribuído ao seu teor de resveratrol, uma substância com elevado poder antioxidante. Mas é muito improvável que haja esse benefício com o consumo, pois a concentração de resveratrol é tão baixa que, para conseguirmos o efeito protetor que se observou em experimentos com animais, teríamos que beber cerca de 100 litros de vinho tinto por dia.

7. Cuide da vitamina D

A luz solar é fundamental para a formação da vitamina D no organismo, mas traz resultados negativos para a pele. Os estudos científicos demonstram com clareza a relação entre a exposição cumulativa ao sol e o risco de desenvolver câncer de pele e envelhecimento precoce. Atualmente muitos dermatologistas recomendam exposição zero ao sol. Mas, como ninguém consegue se esconder dele o tempo todo, o protetor solar ganha importância.

Nenhum creme antirrugas é tão eficaz quanto o hábito de não se expor ao sol. Se você conviver com alguém de mais idade que tenha trabalhado no meio rural (na roça), peça para ver a marca da camisa nas costas, próximo ao pescoço. Você vai verificar com nitidez a diferença entre a pele da nuca (que tomou sol) e a pele das costas (que não tomou sol).

A deficiência de vitamina D está aumentando no mundo todo. É uma das que mais diagnostico em consultório, tanto em pacientes que moram em grandes cidades quanto nos que moram no interior. O contato casual com o sol ou a exposição indireta não são suficientes para mantê-la em bons níveis no organismo. Frequentemente o suplemento é a única opção segura.

Mais adiante voltarei a falar sobre isso e, no meu livro *Alimentação sem carne*, há um capítulo inteiro sobre esse assunto.

8. Reveja sua alimentação

Há produtos que devem ficar de fora da dieta de quem quer aproveitar o máximo dos alimentos e ter boa saúde. Isso não quer dizer que nunca devam ser consumidos, mas procure deixá-los para ocasiões festivas (desde que você não seja muito de festas!). Há pessoas que, depois de modificar os hábitos alimentares, desenvolvem ojeriza por alguns alimentos que costumavam consumir.

No dia a dia, observo uma regra: para ser definitivamente incorporada, a mudança de hábito precisa ser mantida por pelo menos três semanas. Mudar aos poucos ou do dia para a noite depende de alguns fatores práticos e emocionais. Os que são mais "militares" tendem a fazer modificações mais rápidas e definitivas. Muitos inclusive passam por períodos de "vontade de comer o que comiam", mas persistem com a certeza de que o desejo vai passar. Alguns visualizam o sacrifício do animal e por isso não conseguem mais comer o alimento. Do ponto de vista fisiológico, o melhor é a mudança gradativa, para que haja tempo de o organismo se adaptar à nova rotina. Então, quem determina o ritmo é você.

Primeiro, vamos então tornar a alimentação com carne mais saudável.

Carne

Reduza o consumo de carne a 50 gramas por dia no máximo, de preferência cozida. Mais do que isso é exagero. Retire os embutidos (mortadela, salsicha, presunto, salame etc.) do cardápio, pois esses subprodutos da carne são os mais nocivos para a saúde: o consumo de 50 gramas por dia aumenta em 18% o risco de câncer de intestino grosso. Fuja do churrasco. O aquecimento da carne nessas condições induz à formação de diversos compostos indutores de câncer, como N-nitroso e aminas mutagênicas.

Talvez você prefira trocar a carne vermelha pela branca; é uma opção. O mais importante é escolher um corte pobre em gordura, não ultrapassar 50 gramas por dia e consumi-lo cozido. Veja bem: cozido é diferente de grelhado.

Cereais

Troque o cereal refinado pelo integral. Reduza (ou se possível elimine) o consumo de arroz branco, pão de fôrma branco, pão francês e macarrão branco e prefira as versões integrais. O grão integral (arroz, milho, centeio, quinoa) é a melhor opção. Dê preferência ao grão. Inúmeros estudos mostram os malefícios dos cereais refinados, que estão associados ao aumento do risco de câncer, doenças cardiovasculares, diabetes, entre outras. Mas tome cuidado com os pães integrais, pois a maioria dos produtos comercializados contém apenas cerca de 10% de farinha integral, embora já se encontre pães industrializados com farinha 100% integral. A ideia aqui é usar o grão inteiro mesmo.

Frutas e verduras

Coma no mínimo três frutas por dia. Não precisa ser três melancias ou três jacas. Bastam uma banana, uma maçã e uma manga, por exemplo. Pelo menos nas duas principais refeições, utilize muitas folhas e legumes. O consumo de frutas e verduras deve somar pelo menos 400 gramas por dia.

Sal

Troque o sal refinado pelo natural, também conhecido como sal marinho integral. O sabor é praticamente o mesmo. Atenção apenas ao preparo das refeições, pois ele demora um pouco mais para se dissolver depois de colocado no alimento. O sal marinho pode ser encontrado na seção de produtos naturais dos mercados ou em casas especializadas. Contém traços de diversos nutrientes e é iodado. Há uma grande diferença entre o cheiro do sal marinho e o do refinado. Uma colher (sopa) rasa por dia é o máximo que devemos utilizar; mais que isso é excesso.

Adoçantes

Se você precisa adoçar os alimentos, troque o açúcar refinado por opções menos pobres. Comece a utilizar o açúcar cristal, depois o demerara, o mascavo e o melado de cana. Evite os adoçantes artificiais. Lembre-se de que, em uma alimentação adequada para um corpo saudável, não há necessidade de adoçar os alimentos. Há diversas composições naturalmente doces.

Óleos

Cuidado com o óleo que utiliza. O aquecimento de óleos pode não ser um processo saudável, e mais importante do que a quantidade é o tipo de óleo utilizado. A gordura de origem animal, a gordura aquecida e aquela submetida a processos industriais – salgadinhos, sorvetes, bolachas e biscoitos – podem ser bastante nocivas à saúde. Fuja de todos os alimentos que contiverem gordura trans ou hidrogenada no rótulo. Utilize os óleos prensados a frio sobre o alimento pronto, de preferência os óleos de oliva, de linhaça e de soja (há marcas que vendem esse óleo oriundo de grão não transgênico e de cultivo orgânico). Para refogar alimentos, utilize o mínimo possível de óleo. O de linhaça não deve ser aquecido. Via de regra a temperatura atingida ao se refogar um alimento é de 80-90 °C, a ebulição da água leva a temperatura a 100 °C, na panela de pressão a 120 °C, e o forno pode elevar a temperatura para acima de 200 °C. O óleo de oliva tem ponto de fumaça (temperatura em que começa a ser degradado) a 188 °C; o óleo de linhaça e o de chia, a menos de 100 °C; e o óleo de soja, a 240 °C.

Apesar de o óleo de coco ter seu ponto de fumaça igual ao do óleo de oliva (azeite), sua base é gordura saturada e, por isso, não deve ser usado na culinária, a não ser esporadicamente, se você gosta do sabor. Seus efeitos para o aumento dos níveis de colesterol são evidentes. Se você tem em casa, utilize-o para passar no corpo, no cabelo, mas não para comer.

Produtos industrializados

Alimentos industrializados devem ser consumidos com cuidado. A regra é simples: quanto menos coisas escritas no rótulo e quanto mais coisas tiverem nome de comida, mais saudável tende a ser o alimento – a menos que os ingredientes sejam açúcar refinado, óleo e gordura vegetal hidrogenada.

Os produtos industrializados contêm inúmeros compostos químicos, cuja ação no organismo após décadas de uso não sabemos mensurar. Na investigação médica de um câncer, não se pergunta ao paciente, por exemplo, quantos miligramas do corante X ele utilizou ao longo da vida. A segurança desses compostos é testada em animais, e não em seres humanos. Portanto, evite corantes, estabilizantes, aromatizantes e edulcorantes.

Em geral, o melhor é comprar verduras, legumes, tubérculos (batatas), frutas, cereais integrais, leguminosas (feijões) e condimentos *in natura*.

Bebidas

A quantidade de líquidos a ser ingerida por dia é variável. Um cálculo simples recomenda 30 ml por quilograma de peso. Assim, uma pessoa com 70 quilos deveria ingerir 2.100 ml por dia, o que inclui a água dos alimentos. No entanto, esse cálculo não deve ser seguido à risca, pois diversos fatores influenciam a hidratação, como a quantidade de sal ingerida, a temperatura do ambiente e a prática de atividade física.

Refrigerante não é bebida para gente saudável nem doente. Troque por água ou suco natural. Se você tem o hábito de consumir suco de caixinha, cheio de corantes e estabilizantes, procure no mercado os sucos integrais. Algumas marcas de suco de uva, por exemplo, que não utilizam nenhum aditivo químico. Assim que possível, consuma as frutas *in natura* ou o suco natural. Se a questão é praticidade, tenha polpa de fruta congelada em casa.

A melhor forma de avaliar o nível de hidratação é pela cor da urina, que deve permanecer sempre clara; se estiver escura, é sinal de que está faltando água no organismo.

Produtos para passar no pão

Substitua manteiga, margarina e requeijão por pasta de tofu, homus (pasta de grão-de-bico), babaganuche (pasta de berinjela) e outras preparações mais naturais e nutritivas.

Alimentos orgânicos

Os alimentos orgânicos devem ser priorizados, já que tendem a ter um valor agregado muito melhor para a saúde e para o meio ambiente. A ideia de que os vegetarianos consomem mais agrotóxicos do que os onívoros é equivocada. Lembre-se de que a quantidade de agrotóxicos que o animal consumiu ao longo da vida fica acumulada na gordura dele.

Mastigação

A digestão começa na boca. A saciedade é maior com a boa mastigação, assim como o processo de cicatrização de possíveis lesões no estômago e no intestino e a absorção dos nutrientes.

Preferência de nutrientes de atenção

Não vou descrevê-los detalhadamente, pois o foco é o vegetariano, mas quem segue a dieta onívora deve enfatizar a ingestão de ferro, ácido fólico, ômega-3 e fibras e reduzir o consumo de gordura total, gordura saturada, proteína e sal – ou seja, deve comer mais frutas, legumes e verduras e menos alimentos gordurosos, carnes e embutidos.

Observação do funcionamento do intestino

Se você segue todas as recomendações dadas até aqui, muito provavelmente seu intestino funciona pelo menos duas vezes ao dia, o que é desejável. Conheço muitos vegetarianos cuja dieta é composta por alimentos naturais e integrais que evacuam mais de duas vezes por dia. Desde que as fezes tenham consistência pastosa, ou seja, não estejam demasiadamente amolecidas, não costuma haver problema nenhum nisso.

9. Reveja seus dotes culinários

Se você ainda não sabe cozinhar, é hora de aprender. Não é necessário fazer um curso de alta gastronomia, mas saber o básico é fundamental. Quem não sabe cozinhar vira refém dos congelados, dos restaurantes, da padaria e dos pais. Encontrar alimentos saudáveis não é tão fácil assim, por isso nossa sociedade se alimenta muito mal.

Bons utensílios de cozinha podem poupar tempo. Há espremedores de frutas caseiros, por exemplo, três vezes mais rápidos do que a média.

Há panelas elétricas para fazer arroz (inclusive o integral) que podem ser programadas e dispensam sua presença na cozinha. Máquinas de fazer pão permitem diversas preparações caseiras sem conservantes. Panelas a vapor elétricas com *timer* permitem o pré-cozimento de legumes e batatas. Panelas de pressão elétrica ajudam no preparo do feijão.

Passos para se tornar vegetariano com consciência

Para ser um onívoro com boa alimentação, é preciso seguir todas as recomendações do item 8. Se você já o faz, parabéns! Você é um onívoro consciente e exemplar. No entanto, se você não tem os hábitos que descrevi anteriormente, não precisa esperar para dar os próximos passos. A modificação dos hábitos alimentares pode ser gradual, e é isso que faz a maioria dos vegetarianos que se preocupa com a saúde. Vamos em frente, seguindo as etapas:

10. Avalie se já é hora de parar com a carne

Se sua vontade já é suficiente para eliminar a carne da dieta, fortaleça suas razões lendo e se informando sobre o assunto. Se você vai começar nessa etapa, não se esqueça de aprender a cozinhar com urgência!

11. Escolha o tipo de dieta vegetariana que vai seguir

A dieta ovolactovegetariana é a mais fácil de ser seguida fora de casa, mas, para escolhê-la, é importante que sua consciência não fique perturbada por ingerir os derivados animais. Começar já com uma dieta vegetariana estrita é possível, mas vai exigir mais de você, caso haja muito apelo ao paladar dos laticínios.

12. Garanta a sua alimentação diária

A família e os amigos virão em etapas posteriores.

Procure restaurantes vegetarianos

Se você costuma comer fora de casa, é importante fazer um mapeamento das opções. Alguns restaurantes por quilo podem ser uma boa escolha, desde que não coloquem bacon no feijão ou caldo de carne em tudo.

Providencie a refeição noturna

Se você sabe cozinhar, ótimo! Muitas pessoas fazem o jantar em casa. Algumas pessoas me perguntam sobre o uso de alimentos congelados, e minha resposta é: antes um alimento congelado natural do que um alimento fresco artificial. Se sua rotina não permite uma alimentação fresca e saudável, os congelados são uma opção. Diversos estabelecimentos e pessoas produzem alimentos vegetarianos congelados. Verifique na sua cidade. Mas se você mesmo puder preparar sua refeição, em casa, melhor.

Cuide dos seus lanches

Preste atenção ao que come entre as refeições. Um sanduíche com pasta de tofu e algumas frutas são um ótimo começo. Caso prefira alimentos não perecíveis, compre frutas secas, oleaginosas e barra de cereais (é fácil fazer em casa). Em carro e mochila de vegetariano sempre deve haver algo para comer. Nas padarias, você pode pedir uma vitamina de frutas, trocando o leite por suco de laranja (não é preciso adicionar açúcar). Se a vitamina contiver abacate, você ficará sem fome por mais tempo. E se tiver como colocar um pouco de aveia ou chia, melhor ainda.

Faça compras periodicamente

Não deixe a geladeira nem a despensa vazias. Há diversos alimentos estocáveis que podem ser comprados por preços muito acessíveis nos mercados municipais. As lojas de produtos naturais podem vender biscoitos e outros itens que podem ser consumidos de vez em quando – mas que sejam naturais e nutritivos!

Saiba onde encontrar açaí

Muitos vegetarianos encontram a salvação de algumas refeições fora de casa no açaí. É um alimento saudável, especialmente se a quantidade de xarope utilizada for mínima ou nenhuma. Só tome cuidado com o teor calórico e com a higienização do produto.

13. Conheça os principais nutrientes para os vegetarianos

No meu livro *Alimentação sem carne*, discorro detalhadamente sobre os principais nutrientes, então aqui vou dar dicas nutricionais fundamentais para essa fase.

Substitua a carne por feijão

Não mergulhe nos ovos e nos laticínios, pois isso tende a piorar a dieta. Com medo da carência de proteína, muitos abusam de ovos e queijos. Esse medo é infundado. Lembre-se de que o melhor substituto para a carne é o feijão. O consumo de ovos e em especial de laticínios em grande quantidade aumenta a ingestão de gordura total e gordura saturada.

Alguns vegetarianos substituem a carne pela soja, consumindo-a em grãos ou na forma de proteína texturizada; assim como substituir a carne por queijo não é uma escolha adequada, consumir soja no lugar da carne é desnecessário. Qualquer feijão tem um teor excelente de proteína – feijão-branco, preto, carioca, jalo, fradinho – assim como o grão-de-bico, a ervilha e a lentilha.

Garanta a vitamina B12

A vitamina B12 só é encontrada em ovos, carnes, queijo e leite. A dose para manter bons níveis dessa vitamina pode variar de 50 a 2.000 mcg por dia, mas a quantidade ingerida em uma dieta rica desses alimentos não costuma ultrapassar 10 mcg. Ou seja, a chance de uma pessoa (seja ela onívora, seja ovolactovegetariana) apresentar deficiência de B12 com o passar do tempo é enorme. Minha experiência em consultório mostra isso claramente em pacientes com todo tipo de dieta.

Portanto, providencie um suplemento de B12 com o auxílio de um profissional de saúde. Alguns livros de nutrição dizem que a B12 pode ser estocada e que o estoque pode ser suficiente para sustentar 3 a 5 anos de ausência de ingestão. Mas não se baseie nisso para começar a suplementar, pois pelo menos 40% das pessoas onívoras têm carência de B12. E quando fazemos uma reposição de B12, atingindo os valores máximos em termos de nível sanguíneo, a suspensão do suplemento pode levar à deficiência em 6 meses.

Para garantir níveis adequados de vitamina B12, utilize 250 a 500 mcg/dia até que um profissional de saúde possa avaliá-lo e personalizar a sua dose.

Confira suas fontes de cálcio

Isso vale em especial para quem eliminou os laticínios da dieta. A ingestão diária adequada de cálcio é de cerca de 1.000 mg por dia. A forma mais prática de obtê-lo é com bebida vegetal fortificada, pois cada copo (200 ml) vai conter 240 a 400 mg. Procure comer tofu (experimente grelhá-lo, sem óleo, e depois temperá-lo), que tem cerca de 80 mg por 100 gramas do produto. As tabelas estadunidenses apontam para valores mais elevados de cálcio, mas isso ocorre porque lá é utilizado um coagulante à base de cálcio. No Brasil, a maioria dos tofus é preparada com coagulante à base de magnésio.

As folhas de maior concentração de cálcio e menor de oxalato (elemento inibidor da absorção do mineral), como couve, rúcula, agrião, salsa e hortelã, oferecem cerca de 130 mg de cálcio em 100 gramas do produto cru (1 prato grande). Evite comer espinafre, acelga, cacau e beterraba (em especial as folhas) nas refeições ricas em cálcio, pois o ácido oxálico que elas apresentam dificulta a absorção de cálcio.

O brócolis oferece 85 mg por 100 gramas, com biodisponibilidade maior do que a do leite de vaca. O gergelim (825 mg de cálcio por 100 gramas) e a chia (631 mg de cálcio por 100 gramas) também são fontes interessantes.

O uso das folhas em suco verde ou refogadas ajuda na redução de volume e facilita a concentração do mineral para consumo. O volume de folhas necessário para obter boas quantidades de cálcio é elevado, portanto considerá-las como fonte exclusiva de obtenção desse nutriente costuma ser insuficiente.

Cuide da absorção do ferro

A dieta vegetariana não é pobre em ferro, mas, como o organismo absorve menos o ferro de origem vegetal, devemos sempre ingerir os alimentos ricos em ferro acompanhados de vitamina C (o maior promotor de sua absorção). As melhores fontes vegetais de ferro são os cereais integrais, as leguminosas (feijões), as oleaginosas e algumas folhas verde-escuras. As melhores fontes de vitamina C são as frutas e as verduras cruas, pois o aquecimento reduz gradativamente o teor de vitamina C dos alimentos. Evite consumir chá (especialmente o preto), café e laticínios nas refeições mais ricas em ferro.

Estudos científicos demonstram que a prevalência de anemia por falta de ferro (ferropriva) é a mesma em vegetarianos e em não vegetarianos. Como medida prática, a ingestão de 25 gramas de polpa de acerola no almoço e no jantar é bastante útil para intensificar a absorção de ferro. Também se pode consumir goiaba, laranja e limão e outras frutas, de preferência cítricas.

A deficiência de ferro é a desordem nutricional mais prevalente no mundo. Quem come carne em grande quantidade também tem carência de ferro, especialmente quando a perda do mineral é abundante (como na menstruação). A deficiência de ferro não é corrigida com alimentação, nem mesmo com carne. Falarei mais sobre isso adiante.

Garanta a ingestão diária de ômega-3

O ômega-3 é um tipo de óleo que não é produzido pelo nosso organismo. A melhor fonte vegetal de ômega-3 é a linhaça, que pode ser ingerida na forma de óleo ou de semente. O óleo de linhaça contém 53 gramas de ômega-3 por 100 ml, enquanto na mesma quantidade de óleo de salmão há 18 mg. De forma geral, basta uma colher (chá) de óleo de linhaça prensado a frio (deve ser consumido sem ser aquecido) ou duas colheres (sopa) da semente por dia para garantir um bom aporte de ômega-3. Procure também utilizar os óleos de cozinha com melhor aporte nutricional de ômega-3, que são os de canola, soja e oliva. Na prática sugiro azeite para cozimento, óleo de linhaça ou chia para colocar sobre alimentos prontos e o de soja (orgânico, não transgênico) para forno.

Fique de olho no zinco

O zinco é um nutriente ao qual as pessoas devem prestar atenção ao passar a se alimentar sem carne. O zinco oriundo de fonte animal é mais bem absorvido por nosso organismo do que o zinco de origem vegetal. Os cereais integrais, as leguminosas (feijões) e as frutas oleaginosas são as fontes mais ricas. Alguns processos auxiliam a absorção de zinco, como a fermentação natural do pão e o processo de germinação dos cereais e das leguminosas. Deixar os grãos de molho na água da noite para o dia melhora, por si só, a absorção do zinco.

14. Aprenda a montar sua refeição

Não tenho a intenção de montar um cardápio, pois para isso é necessário conhecer cada organismo e desenvolver um programa individual para o melhor aproveitamento dos nutrientes. Por isso existem os profissionais da nutrição: muitas situações podem ser bastante complexas e pedem alimentos e combinações específicas.

A primeira coisa a tirar da mente é a ideia de que existe o grupo dos carboidratos (cereais e batatas), o das proteínas (carnes, ovos e leguminosas), o das gorduras (óleos), o das vitaminas (frutas) e o dos minerais (verduras e legumes). Isso é mentira. A natureza criou os alimentos com um pouco de tudo. Foi o ser humano quem criou o açúcar refinado (composto unicamente de carboidratos) e o óleo (composto apenas de lipídios). Ou seja, todo alimento natural contém carboidrato, proteína, gordura, vitaminas e minerais. O que muda é a proporção contida em cada um.

Para elaborar uma refeição, é preciso conhecer os grupos alimentares. Há estudos com classificações diferentes. A que utilizo aqui permite combinar alimentos em qualquer tipo de dieta vegetariana. Aos poucos você vai memorizar os integrantes de cada um dos cinco grupos, e montar o seu prato vai ficar cada vez mais fácil.

- *Grupo dos cereais:* arroz, trigo, milho, quinoa, cevada, centeio etc.
- *Grupo dos alimentos ricos em proteína:* leguminosas (feijão, grão-de-bico, ervilha, lentilha, tofu etc.), oleaginosas (nozes, amêndoa, avelã, castanhas etc.), ovos (opcional), laticínios (opcional). Aqui você deve ter em mente que as leguminosas são as fontes vegetais mais ricas em proteína. Alguns autores colocam as oleaginosas como alimentos ricos em proteínas, mas elas têm teor parecido com o dos cereais integrais. Importante: *Chlorella*, spirulina e quinoa não são fontes concentradas de proteínas.
- *Grupo das hortaliças:* verduras (couve, rúcula, agrião, brócolis etc.), legumes (abobrinha, berinjela, cenoura etc.) e vegetais amiláceos (batata, inhame, cará, mandioca etc.). Aqui os vegetais amiláceos poderiam ser colocados no grupo dos alimentos com mais carboidratos (grupo dos cereais), mas eles têm menos proteína. Por outro lado, eles têm um teor nutricional bem diferente do de verduras e legumes. Priorize sempre o consumo de verduras e legumes.
- *Grupo dos óleos:* azeite de oliva, óleo de soja, de linhaça, de chia etc.
- *Grupo das frutas:* abacate, maçã, melancia, banana etc.

Procure montar o prato seguindo mais ou menos esta proporção:

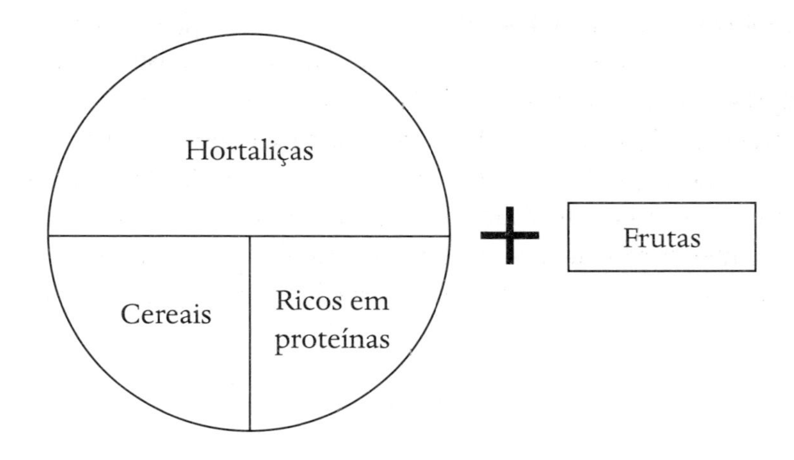

- *Almoço ou jantar:* arroz (cereais) + feijão (ricos em proteína) + alface, rúcula, couve, cenoura (hortaliças) + fruta; o óleo está no tempero ou no preparo do alimento
- *Lanche:* pão integral (cereais) + pasta de tofu ou homus (ricos em proteínas) + azeite (óleo) + suco de frutas com couve, hortelã e cenoura (frutas + hortaliças)
- *Sopa:* ervilha em grão (ricos em proteína) cozida com abobrinha, abóbora, mandioquinha e couve (hortaliças) + macarrão para sopa ou torrada (cereais) + azeite (óleo) + uma fruta de sobremesa

Esses são apenas alguns exemplos. Na escolha dos alimentos, procure sempre enfatizar o que sugeri no item 13.

15. Suplementos? Calma aí!

Sem prescrição de médico ou nutricionista, não caia na tentação de tomar suplementos de proteínas ou de qualquer outro nutriente. É muito comum os vegetarianos que fazem atividade física serem induzidos, na academia, a se entupir de proteína. Nenhum estudo científico aponta carências maiores em vegetarianos do que em onívoros. Em consultório, faço a dosagem sanguínea de todos os pacientes e confirmo ser raríssimo encontrar deficiência de proteína, mesmo com dieta sem planejamento.

De forma geral, para garantir o aporte proteico ideal, basta ingerir a quantidade de calorias necessária diariamente (verificar se o peso é adequado à sua altura é uma das maneiras de saber se a ingestão calórica está apropriada). A base da dieta vegetariana deve ser composta por cereais e leguminosas (feijões), alimentos que têm boa quantidade de proteína e garantem o suprimento diário. As oleaginosas também podem auxiliar, mas são menos proteicas que as leguminosas e trazem mais gordura. Em 100 gramas de oleaginosas há cerca de 600 kcal; portanto, cuidado!

16. Faça acompanhamento médico e nutricional

Não porque você é vegetariano, mas porque é um ser humano. Se for menor de idade, peça aos seus pais para o levarem a um profissional. Para isso, faça o que sugiro no item 17.

Caso seu médico não seja especialista em vegetarianismo, entregue a ele, se tiver liberdade, a carta que escrevi no capítulo 13, "Vou ao médico. E agora?". Se não tiver liberdade, pondere sobre a conveniência de continuar a se consultar com esse profissional. A relação médico-paciente envolve confiança, simplicidade, atenção, prudência, compaixão, humildade e sabedoria. Você precisa sentir isso com o profissional que o acompanha, independentemente da especialidade dele.

A maioria das pessoas sempre tem muito a aprender na consulta com um bom profissional. Se puder, entregue também ao nutricionista o capítulo que escrevi para os profissionais de saúde, pois, caso ele não tenha experiência com dietas vegetarianas, poderá aprender um pouco mais. Os melhores cardápios que vejo em consultório são dos vegetarianos, pois tendem a ser bem mais diversificados e ricos em nutrientes.

17. É hora de se preparar para a família

Parece um exagero agir dessa maneira, mas vejo todos os dias que a relação com os grupos é bem melhor quando os vegetarianos se preparam antes, pois as pessoas percebem que eles estão fazendo tudo com embasamento e acompanhamento. Então agora é hora de conversar com a família e também com os amigos, caso você sinta necessidade. Vá para essa conversa depois de ler todas as situações que descrevo no próximo capítulo.

Caso nem sua família nem seus amigos sejam vegetarianos ou simpatizantes do vegetarianismo, sugiro que você não solte a frase "Virei vegetariano!" no meio de um assunto qualquer, pois a primeira reação será uma risada irônica ou o comentário "Enlouqueceu!". Depois de conseguir a atenção de todos, diga que não come mais carne, explique seus motivos e assegure-os de que já se preparou para isso. Ressalte que a relação com eles não vai mudar, pois esse é um dos maiores medos da família e dos amigos.

18. Vivencie com plenitude a sua escolha

Aceite que a vida afaste ou aproxime as pessoas de você.

Capítulo 8

SERÁ O BENEDITO? DE NOVO AS MESMAS PERGUNTAS E COMENTÁRIOS!

De todas as queixas que os vegetarianos trazem para o meu consultório, as que dizem respeito ao meio social são, sem dúvida alguma, as mais frequentes. As atitudes desconcertantes dos amigos e da família por vezes cansam os vegetarianos. Por um motivo ainda não muito bem compreendido, a presença de um vegetariano no ambiente causa certo desconforto em algumas pessoas que não o são. Algo nos vegetarianos talvez desperte a percepção de que existe certa crueldade no consumo de carne ou nas atitudes que temos com os animais. Outros têm a impressão de que os vegetarianos são pessoas com as quais não se pode confraternizar ou comemorar. E ainda há os que pensam que os vegetarianos se acham superiores por ter uma alimentação diferente.

É fato que, no início, alguns vegetarianos erram o tom da conversa e até usam formas de se expressar mais agressivas, como "não como cadáveres" ou "não como bicho morto que nem você", causando incômodo na troca com onívoros. A questão é que as pessoas podem viver harmoniosamente com olhares diferentes para muitos aspectos, e esse treino precisa ser realizado. Nós ficamos horrorizados com tantos conflitos de guerra no mundo, mas, quando olhamos ao nosso redor, vemos que o princípio da intolerância e agressividade está presente em mais pessoas do que imaginamos. Entendo que vegetarianismo é uma forma de expressar a não violência, e isso deve ser praticado em relação aos seres humanos também.

A adoção do vegetarianismo gera questões a serem discutidas com a família e os amigos. Há vegetarianos que levam as brincadeiras (que inevitavelmente ocorrem) com bom humor. Outros não têm tanta tolerância. Com o passar do tempo, ter de aguentar sempre as mesmas piadas e brincadeiras acaba cansando. Talvez por essa razão o círculo de amizades se modifique.

Na nossa sociedade, ser vegetariano significa virar o centro das atenções sempre que sua condição é "descoberta". Se você acha que isso é um exagero, é porque ainda não passou por isso. Quem come carne não precisa justificar por que come carne, mas os vegetarianos invariavelmente têm de justificar o que comem e o que não comem. Talvez você tenha a sorte de conviver com pessoas que respeitem sua escolha e mantenham uma boa convivência. Mas não é isso que ocorre com a maioria.

Por isso listo a seguir situações pertinentes à dieta vegetariana com as quais certamente você vai se deparar ao deixar de comer carne. Em alguns casos, elaborei uma resposta educada e uma mal-educada (no estilo "respostas cretinas para perguntas idiotas"), pois às vezes os vegetarianos também perdem a paciência. Reuni essas questões a partir da minha experiência e de amigos e conhecidos. Seria impossível fazer referência a todos eles, mas cito o amigo Rafael Jacobsen, que criou um esquete hilário intitulado "As situações tragicômicas na vida do vegetariano". Ele foi a inspiração para muitas das situações descritas aqui.

Se você está se tornando vegetariano, achará engraçado saber que os comentários que começou a escutar são sempre os mesmos, não importa onde esteja. Se você não é vegetariano, sugiro ponderar os próprios comentários. Não há neles novidade ou argumentos para fazer com que um amigo ou um parente vegetariano volte a comer carne. A transformação pela qual se passa tem forte embasamento.

Acredite: é isso o que os vegetarianos escutam o tempo todo:

"Nossa! Você é vegetariano?!"

Essa é clássica! E tem algumas variantes: "Então é por isso que você tem essa pele bonita!", "Por isso você é magro e elegante!" (dito por quem gosta do vegetarianismo) e "Por isso você está tão pálido!" (pelos que não gostam do vegetarianismo). O dono da frase nem repara se você está bronzeado depois de um mês no Caribe sem protetor solar ou se cortou o cabelo.

Minha preferida é "Nossa! Você é vegetariano? Nem parece!" – esse "nem parece" mostra bem qual é a imagem do vegetariano no inconsciente da pessoa: a de um alienígena ou um ser desmilinguido.

"Você é vegetariano? Temos frango e peixe. E frutos do mar também."

Essa é comum nos restaurantes, quando o atendente vai ver as opções que tem para você, vegetariano. Seja paciente. Os vegetarianos ainda são minoria, e o que eles comem não é claro para a maioria das pessoas. Receber a sugestão de um prato com frango, peixe ou presunto no lugar da carne é comum.

Resposta educada: "Frango, peixe e presunto são carnes também. Vegetarianos não consomem nenhum ser do reino animal. Isso significa que não entram no cardápio carne de boi, vaca, frango, peixe, porco, escargot, avestruz, gato, cachorro etc. Os frutos do mar são do reino animal. A palavra 'fruto', nessa situação, não se refere à botânica, mas a algo oriundo do mar".

Resposta mal-educada: "Peixe e frango não são animais? Eles fogem quando vivos! Você já viu alguma planta fugir? Esses frutos do mar nascem em árvores?"

"Você come carne de soja ou de jaca? Mas é carne!"

Algumas pessoas que já entenderam que os vegetarianos não comem nenhum tipo de carne ficam muito confusas quando a palavra "carne" está no nome de algum prato ou alimento vegetariano.

A "carne" de soja é uma forma de descrever um jeito diferente de utilizar o grão de soja, que é um alimento do reino vegetal. Para evitar confusão, muitos vegetarianos se referem a esse alimento como proteína texturizada de soja (PTS) ou proteína vegetal texturizada (PVT).

Assim só há confusão se a outra pessoa não sabe o que é PTS ou PVT. (Vale lembrar, como expliquei no capítulo anterior, que a soja é desnecessária na dieta vegetariana.)

A mesma associação se faz à carne de jaca, que é uma preparação feita com a jaca verde cozida, que fica com aspecto idêntico ao da carne de vaca. E aqui é importante lembrar que, diferentemente da "carne" de soja, que tem elevado teor proteico, a de jaca não tem. Ela é um elemento de preparo culinário visualmente parecido com a carne, mas não tem valor proteico nutricional significativo.

"Só tem um pouquinho."

Aqui temos duas possibilidades de significado. A primeira é "Só tem um pouquinho, não conto para ninguém!", que costuma ocorrer na casa de algum parente que acha que parar de comer carne é tão difícil que, com certeza, os vegetarianos devem comer um pouco escondido. Afinal, quem é que consegue ficar sem carne, não é? Como se fizesse um pacto de segredo, seu interlocutor sugere que coma só um pouco do conteúdo do prato, que por sinal leva só um pedacinho de carne. E ele não vai contar para ninguém!

Resposta educada: "Agradeço, mas para mim, pelos meus princípios, comer mesmo que só um pedaço de um animal é impossível. Vou me sentir mal".

Resposta mal-educada: "O que você acharia se eu colocasse só um pedacinho da pata do seu cachorro na minha sopa?"

O segundo significado possível é: "Só tem um pouquinho, pode comer!" – nesse caso, você explica que não é uma questão de pouco ou muito, pois a vida é tudo ou nada. Ou o animal está vivo, ou está morto. Não dá para comer um animal um pouco vivo.

"Você não come carne? O que você come então?"

Essa pergunta costuma ser feita quando os vegetarianos dizem que não comem carne vermelha nem branca, nem presunto, salsicha, linguiça etc. Pior quando, ainda por cima, não comem ovos, queijo nem leite. Nesse caso, para quem não conhece o vegetarianismo, ou para quem tem uma alimentação monótona, parece que não sobra nada para comer.

Nossa sociedade tem o hábito quase doentio de colocar produtos de origem animal em praticamente tudo o que come. Por isso é natural que muita gente não tenha noção de como preparar um simples prato sem derivados animais. Estou trabalhando em um pôster com meu amigo fotógrafo Tomaz Vello em que será possível observar cerca de 350 alimentos e diversas possibilidades de combinação para montar pratos sem nenhum componente animal nem alimentos processados. Será de grande ajuda tanto para os vegetarianos quanto para quem está no caminho de diminuir o consumo de carne no dia a dia.

"Tirei o bacon e a linguiça do seu feijão. Pode comer."

Hum... Nessa hora você poderá ser tachado de radical. Você vai à casa de um familiar, que, ao saber de sua opção pelo vegetarianismo, inocentemente apenas tira o pedaço de bacon e a linguiça que ficaram horas cozinhando no feijão. Para um vegetariano, o cozimento de qualquer alimento com algum tipo de carne o torna inutilizável. A gordura e diversos compostos da carne já estão misturados ao alimento. Retirar a carne não o transformará em um prato vegetariano. E não adianta insistir.

Alguns vegetarianos até aceitam afastar um componente animal, como o pedaço de presunto que estava ao lado da batata ou o bife que estava ao lado do arroz. No entanto, querer que os vegetarianos comam um alimento que foi cozido com um componente animal é pedir demais. É algo que não se dispõe a fazer em nome da etiqueta social. Pode dar briga, em especial quando o vegetariano não aguenta mais falar sobre o assunto e explicar seus propósitos: "Não como cadáver ensopado!", "Não como nada que tenha sido cozido com um bicho morto junto". E daí instala-se o mal-estar no grupo.

"Coma só um pouquinho! Está muito gostoso!"

A questão não é se está gostoso ou não. A questão é não participar de toda a cadeia destrutiva que está por trás do consumo da carne.

Muitos vegetarianos param de comer carne mesmo gostando do sabor. A questão é ética, filosófica e comportamental, e não necessariamente de paladar.

Não é à toa que a indústria tem desenvolvido diversos produtos que se parecem visualmente e sensorialmente com a carne, mas são totalmente vegetarianos. Para os que estão em transição para o vegetarianismo, especialmente por questões éticas, assim como para os que sempre gostaram do gosto da carne e dos laticínios, pode ser uma opção de manter uma dieta vegetariana com a possibilidade de sentir o sabor que gostavam, mas sem implicar em sofrimento animal. E é fato que muitos vegetarianos, principalmente os de mais longa data, não querem ver nem experimentar algo que lembre carne ou laticínios.

"Você não sabe o que está perdendo. Não sabe aproveitar as coisas boas da vida."

Se a questão é paladar, há diversas preparações com carne totalmente sem gosto e outras vegetarianas com sabor muito elaborado. Se é uma questão de consciência, os vegetarianos sabem muito bem o que os animais e o mundo estão perdendo.

Nesse contexto vale aprofundarmos alguns pontos. Vemos muitos profissionais de saúde que defendem a ideia de viver o prazer pelo prazer. Em 2017, participei de um debate ao vivo na rádio CBN sobre o vegetarianismo e a campanha Segunda Sem Carne, em que expus a minha visão positiva e a outra pessoa argumentava ser algo negativo por não respeitar os desejos de paladar das pessoas.

Achamos que viver os desejos é a manifestação da liberdade, mas é a mais pura representação da escravidão. Quando nossos órgãos do sentido (paladar, olfato, audição, visão, tato e também a mente) entram em contato com o mundo externo, associados às nossas experiências pregressas, desenvolvemos a sensação de gostar, a de não gostar e a de ser indiferente.

Nessa tríade, ficamos muito bons em repetir os mesmos comportamentos de vida: tentar reviver situações que nos causam prazer; tender a nos afastar do que causa desprazer; e ignorar as situações que nos são indiferentes na geração do prazer.

Esse comportamento normal de vivência das sensações nos traz a noção de que a nossa vida é boa ou ruim. Se vivemos em constante contato com o que nos é prazeroso, a vida parece muito boa. No entanto, parte das sensações de prazer que criamos pode ser bastante nociva para nós mesmos e para o mundo. É fato que muitas pessoas sentem prazer em fumar, em se manter sedentárias (já que o exercício físico traz a elas o desprazer), em comer carne e em beber álcool sem limitação.

Quando esses hábitos são os que trazem prazer à pessoa, pensar em modificá-los pode parecer a maior representação da tristeza e restrição da liberdade. Entretanto, quando não conseguimos viver sem modificar algo que é ruim para nós mesmos ou para a sociedade e planeta em que vivemos, estamos à frente da maior materialização da escravidão que nos colocamos. Se tornar inflexível em olhar para a necessidade de mudanças rumo a algo positivo é mais uma manifestação da submissão em que nossa mente e sentidos foram colocados.

Com isso, não estou dizendo que devemos tornar nossa sensação de prazer restrita, mas sim encontrar formas de educar nossos sentidos às mudanças necessárias rumo à felicidade real, já que um hábito gerador de prazer, mas também de doenças e destruição, nada mais é do que a representação de contratar um guia turístico que o conduza a um precipício, mas não para apreciar a vista, e sim para escorregar por ele.

Desejo que cada vez mais possamos sair da limitação que temos de achar que nossas ações puramente determinadas pelo prazer são a manifestação da liberdade, quando na realidade podem estar prejudicando nós mesmos, o planeta e os animais. E, com isso, são a representação da subserviência que estamos vivendo.

Que essa mudança possa ser guiada pela nossa abertura interna em conhecer novos sabores e prazeres, pelo conhecimento do mal que fazemos a nós mesmos, ao planeta e aos animais ao consumir as carnes e seus derivados, e pelo intelecto, que pode ajudar a conduzir as emoções, dentro de certos limites.

"Comida vegetariana tem gosto do quê?"

Essa é triste! Comida com carne tem gosto de quê? Ora, depende do que se faz, de como se tempera.

"Você não pode comer nem um pedacinho de carne?"

A adoção de uma dieta vegetariana é espontânea, voluntária. Assim, tudo é permitido, tudo pode! Os vegetarianos não comem carne porque perceberam que essa atitude é incoerente com seus princípios. Ou seja, posso, mas não quero.

"Você diz que não toma leite, mas usa leite vegetal (de soja, aveia, arroz, castanhas)."

Na realidade, o termo correto é "bebida" vegetal, e não "leite" vegetal. Trata-se do grão, do cereal, da oleaginosa em forma líquida. Não há exploração animal, é um alimento vegetariano. Os vegetarianos que não tomam leite o fazem por não querer explorar o animal, por não gostar de leite ou apenas por perceber que não se sentem bem fisicamente.

"Bebês veganos não são amamentados?"

O vegetariano estrito não usa leite de outras espécies, mas amamenta a sua cria com o seu próprio leite. Ou seja, bebês veganos tomam leite materno, como é preconizado para todas as crianças, vegetarianas ou não. Na impossibilidade do aleitamento materno, é possível recorrer a formulações específicas. Jamais substitua o leite materno ou fórmulas específicas por misturas de farinhas de cereais ou sucos, pois isso leva à desnutrição.

"Nossos ancestrais comiam carne. Por que parar de comê-la?"

Resposta educada: "Comiam mesmo. Os hominídeos dos quais descendemos eram onívoros. Mas nós vivemos numa sociedade em que há inúmeras opções que substituem o consumo de carne. Além disso, o planeta não comporta mais a poluição e a devastação decorrentes da pecuária. O coração de muitos vegetarianos não suporta se alimentar de algo proveniente da dor e do sofrimento animal. Hoje temos a opção de não utilizar nenhum produto animal na alimentação e manter uma vida saudável".

Resposta mal-educada: "Sim! Também moravam em cavernas, conversavam por grunhidos e evacuavam no mato".

"Você não come animais, mas mata plantinhas! Não há diferença! Você não tem dó das plantas?"

Quem insiste que a retirada da vida de um animal é idêntica a de um vegetal não entendeu o princípio que leva uma pessoa a adotar o vegetarianismo. Ou está debochando.

Resposta educada: "Os animais possuem sistema nervoso. Eles sentem dor, têm medo e sofrem. As plantas não possuem terminações nervosas e não sentem dor, pelo menos de uma forma detectável. A ingestão de vegetais é fundamental para nossa sobrevivência; a de animais, não. Assim, indo além da questão do respeito à vida e pensando na cadeia alimentar, comer plantas é inevitável, mas comer animais não. Do ponto de vista espiritual, para quem tem esse olhar, a ingestão de vegetais não afeta o propósito de evolução das plantas, enquanto comer animais alimenta toda uma cadeia de dor e sofrimento e gera diversas consequências".

Resposta mal-educada (do amigo Luís Maccarini): "Faça o seguinte: pegue uma faca e vá até um sítio. Picote um pé de alface e depois picote um porco vivo. Depois volte aqui e me conte qual é a diferença".

"Que besteira! Os animais não sentem como os seres humanos! Pode comer!"

Quem nunca teve um bicho de estimação ou olhou nos olhos de um animal qualquer tende a pensar assim. Afinal, quando solicitadas a desenhar um frango, muitas crianças de cidade grande desenham aquele depenado vendido no supermercado.

"Os animais foram feitos para isso mesmo."

Se tivessem sido feitos para isso mesmo, não fugiriam da dor nem ficariam estressados no momento do abate.

"O leão come a zebra. Na natureza os animais comem uns aos outros."

Resposta educada: "A natureza funciona de forma diferente entre as espécies. No caso dos leões, comer outro animal é fundamental para a preservação de sua saúde e de sua espécie. Entre os seres humanos, isso não se aplica".

Resposta mal-educada: "Eu não sou leão nem um predador com garras. Tente matar uma vaca no corpo a corpo, sem arma alguma, para ver se você consegue".

Se tivéssemos que abater os animais para subsistir, a maioria das pessoas seria vegetariana. Matar com as próprias mãos uma galinha causaria ojeriza em muita gente que come frango.

"Se não comermos as vacas, elas vão entrar em extinção."
Ou: "Se não comermos as vacas, elas vão se proliferar e dominar o mundo".

Essa é triste! Algumas pessoas dizem que, graças à criação industrial de animais, as vacas não entram em extinção. Outras afirmam que, se não nos alimentarmos das vacas, elas vão procriar sem a presença do predador "natural" (o ser humano) e dominar o mundo. O ser humano é protetor das vacas ou apenas está evitando que elas dominem o mundo? Trata-se de uma incógnita até mesmo para o indivíduo que fez a pergunta.

A questão é simples: as vacas só existem neste planeta na quantidade atual porque os seres humanos providenciam sua manutenção com o objetivo de alimentar-se delas.

"O que seria feito com os animais de corte se todo mundo se tornasse vegetariano?"

Essa situação é fictícia, pois sabemos que o mundo não se tornaria vegetariano da noite para o dia, exceto se alguma catástrofe nos obrigasse a isso. Segundo alguns biólogos, para reduzir o número de vacas e outros animais sem seu sacrifício, bastaria separar os machos das fêmeas e esperar que eles completassem seu tempo de vida.

"Sua avó não vai se conformar com a ideia de que você não come carne."

Frequentemente observo esta situação: algum parente, geralmente a avó (que não tem nenhum quadro demencial!), está sempre oferecendo carne ao vegetariano, ainda que a pessoa seja vegetariana há vinte anos e explique à família, todo fim de semana, que não come carne. Tenha muita paciência nessa hora.

"Venha almoçar com a gente. Tem salada para você."

Muita gente insiste em oferecer salada para os vegetarianos como prato principal. Esse hábito vem da ideia de que os vegetarianos comem e adoram saladas. Comecei o livro explicando que os vegetarianos simplesmente não comem carne, o que não tem nada a ver com comer muita ou pouca salada, mas há quem não saiba disso. Comer salada é saudável, mas ela é apenas parte da refeição, como acontece entre os onívoros. Ou seja, é preciso comer algo mais substancioso depois, como arroz com feijão, lasanha, panqueca etc. Você pode responder: "Legal! E o que comerei depois, já que salada não sustenta?" Diga logo que vai levar um prato, porque isso pode salvar seu almoço. Mas saiba que será o primeiro prato a ser devorado pelas pessoas, portanto sirva-se primeiro!

"Mas sua tia vai ficar ofendida se você não comer aquele prato maravilhoso (com carne) que você sempre comia."

Os vegetarianos não costumam passar por cima de convicções pessoais em nome da cortesia e da etiqueta. Não comer carne é um princípio, e pode soar muito grosseiro para os vegetarianos insistir para que eles o façam. Se quiser agradar um parente vegetariano, prepare um prato simples – que não seja apenas uma bela salada de folhas – que ele possa comer tranquilamente. Se você não aceita que seu parente não come carne, essa é uma ótima oportunidade para trabalhar seu lado intolerante e controlador. Preocupação é uma coisa, controle é outra. Verifique e faça a distinção.

"Carne aqui? Imagina!"

A experiência mostra que sempre tem alguém na família que tenta sabotar a refeição do vegetariano, introduzindo de propósito no preparo do prato algum ingrediente que ele não come. Não ache estranho se o familiar vegetariano ficar sempre de olho, pois sempre há alguém que não se conforma com a escolha de uma alimentação sem carne ou não sabe respeitar as escolhas dos outros.

"Olha aí, virou natureba."

Essa é a ideia clássica que fazem do vegetariano: um naturalista que come broto de alfafa com alcachofra, magricelo, de cabelo comprido, sujo e malvestido – uma figura estranha, surgida não se sabe de onde. Uma vez, em um congresso de nutrição, ouvi um profissional de saúde criticando os tais naturebas por comerem alimentos naturais, integrais, sem agrotóxicos. Acho estranho o preconceito desse profissional, pois todos os estudos na área de nutrição apontam para os benefícios da adoção de uma dieta natural, integral e minimamente processada. O "natureba" nada mais é do que alguém que segue esse preceito, ou seja, que consome o que tecnicamente chamamos de alimentação funcional. Há naturebas vegetarianos, mas muitos não o são. E qual é o problema?

"Viu? Parou de comer carne e ficou doente."

Os vegetarianos não têm nem o direito de adoecer. Se tiverem um resfriado ou dor de cabeça, a culpa será sempre da falta de carne. Mas você vai conhecer vegetarianos que sofrem acidentes. Outros até morrem! A dieta vegetariana não deixa ninguém imune a doenças. Somos seres vivos e, como tal, sujeitos às interferências externas e internas do ambiente em que vivemos.

"Cuidado! Vai se intoxicar com os agrotóxicos."

A ideia de que os vegetarianos podem ingerir mais agrotóxicos, por causa do maior consumo de alimentos de origem vegetal, é infundada. A carne dos animais contém os compostos químicos que foram acumulados no organismo deles ao longo dos anos. Um estudo que analisou o leite materno de mulheres vegetarianas demonstrou que o teor de agrotóxico é quatro vezes menor do que o encontrado no leite de mulheres onívoras. Isso demonstra que a contaminação maior ocorre pelo consumo de carne.

Apesar da legislação proibir o uso de diversas substâncias nos animais utilizados para consumo humano, não há fiscalização suficiente em nosso país para controlar os produtores. Em diversas fazendas podem ser aplicados carrapaticidas e produtos repelentes em doses elevadíssimas no lombo dos animais. Em tese, eles deveriam ser poupados da ordenha até duas semanas após a aplicação, mas essa norma nem sempre é cumprida. Diversos compostos ficam acumulados no tecido adiposo dos animais e são posteriormente ingeridos por seres humanos. Outros produtos podem ser excretados no leite e ingeridos pela população caso o gado não seja afastado por tempo suficiente do processo de ordenha.

"Tudo bem você ser vegetariano. Mas seu filho vai comer carne, não vai?"

Pais católicos criam filhos católicos, pais judeus criam filhos judeus. É natural que os pais queiram passar seus valores para os filhos. Pais vegetarianos costumam querer que os filhos sejam vegetarianos também.

A adoção consciente do vegetarianismo na infância, com supervisão adequada, é saudável. Os pais vegetarianos têm o direito de criar filhos vegetarianos, mas também têm o dever de aprender a adequar a dieta. E quem deveria ensinar esses pais são os próprios pediatras e nutricionistas. Se o seu é contra a dieta vegetariana, procure alguém mais atualizado.

"Carne é essencial, não se pode viver sem ela."

Será que não? Basta olhar para a Índia, um país enorme que, apesar de algumas recentes mudanças, é culturalmente vegetariano há milhares de anos. Se isso não for suficiente, avalie todos os artigos científicos que demonstram que uma dieta sem carne é perfeitamente saudável.

"Só a carne tem certos nutrientes. Você vai ter problemas de saúde."

Mentira. Pergunte que nutrientes são esses. A vitamina B12, por exemplo, está presente em ovos, leite e laticínios. Quem não consumir esses derivados pode suplementar. Todos os aminoácidos essenciais (que você precisa ingerir) existem nos alimentos de origem vegetal. A única exceção é o aminoácido taurina, mas ele é produzido por nosso organismo. Ou seja, não é preciso comer carne com medo de deficiência de nenhum nutriente.

"Mas o ferro da carne não tem comparação com o dos vegetais. Só o ferro da carne é bom e bem absorvido."

Mentira também. Em uma dieta com carne em quantidade considerada adequada (menos de 100 gramas por dia), a quantidade de ferro obtida é insuficiente. Para potencializar a absorção do ferro de origem vegetal, basta consumi-lo junto com boas fontes de vitamina C. Mesmo na dieta de uma pessoa muito carnívora, o ferro oriundo da carne não será suficiente para atingir as necessidades nutricionais preconizadas sem o apoio dos vegetais.

"Cálcio bom, de fácil absorção, só o do leite."

Mentira! Apenas 32% do cálcio do leite de vaca, assim como o do tofu, são absorvidos pelo organismo. Já o cálcio da couve, por exemplo, é absorvido em 60%. O cálcio das bebidas vegetais fortificadas também apresenta absorção excelente. No meu livro *Alimentação sem carne* há um capítulo inteiro sobre o cálcio.

A última tentação de Cristo

O nome desta abordagem foi dado por meu amigo Rafael Jacobsen para denominar o que ocorre quando as pessoas apresentam uma situação hipotética aos vegetarianos na tentativa de extrair a confissão de que, nesse caso, comeriam carne. Por exemplo: "Se você estivesse perdido numa ilha deserta sem nada para comer há dias e surgisse uma galinha na sua frente, você a comeria?" Há pequenas variações, sempre com o mesmo propósito. Alguns comeriam e outros não. O que importa? Situações hipotéticas são situações hipotéticas, e a resposta, seja ela qual for, não desabona em nada a opção real pelo vegetarianismo.

"Eu? Sem carne?"

Quando um vegetariano se apresenta como tal, homens e mulheres costumam ter reações diferentes. É comum as mulheres dizerem, apesar do rico filé no prato: "Quase não como carne" ou "Nem gosto muito de carne" ou "Eu viveria muito bem sem carne". Já os homens costumam declarar: "Ah, eu teria muita dificuldade de abrir mão do meu churrasquinho!" ou "Ficar sem carne não dá". Existe uma associação entre consumo de carne e virilidade e, ao mesmo tempo, entre a abstenção e um corpo magro de modelo.

"Não comer carne até entendo, mas não comer queijo, leite e ovos?"

A carne transmite com mais nitidez a imagem da morte do animal e do sofrimento ao qual é submetido, e isso facilita o entendimento das razões dos vegetarianos. O consumo de seus derivados nem sempre traz essa imagem tão clara.

Os que optam por retirar os derivados animais do cardápio o fazem por diversas razões. Por questões de saúde, podem ter como objetivo a redução da gordura saturada, do colesterol, de calorias, de proteínas e componentes mais alergênicos (especialmente os do leite e derivados), entre outras. Por motivos éticos ou filosóficos, pensam na exploração animal. A ordenha do leite, a coleta do ovo e a extração do mel podem se configurar como violação do direito do animal ou até mesmo roubo. A criação industrial de animais para a extração de seus subprodutos – com confinamento e abate – é claramente exploratória e cruel. Na indústria leiteira, o bezerro macho é descartado (abatido). Na produção de ovos, os machos que nascem são triturados, pois só as fêmeas têm utilidade. Nesses exemplos, o uso do subproduto animal leva inevitavelmente à morte de membros da espécie.

Para muitos vegetarianos, não utilizar os subprodutos animais significa romper com essa cadeia de exploração e sofrimento. Há indivíduos que adotam a visão mais naturalista ou filosófica, segundo a qual nenhum mamífero, exceto o ser humano, toma leite depois de adulto. Os vegetarianos também se preocupam com a devastação ambiental decorrente da criação de animais de corte. Leia mais sobre o assunto no primeiro capítulo deste livro.

O fato é que, se quando uma pessoa deixa de comer carne ela precisa dar milhares de explicações, imagine então quando para de consumir os derivados animais.

"Que frescura é essa agora?"

Tenha paciência. Para um vegetariano, a carne é um ser, e não um alimento. Então, pode ser muito incômodo saber que alguém cortou carne na mesma tábua que se cortam os vegetais, ou guardar a carne nos mesmos potes que ele guarda os alimentos, ou mesmo ter carne dentro da geladeira. Para muitos, a carne está associada a toda uma cadeia de dor, sofrimento e destruição. Dependendo do vegetariano, a visão dos derivados animais também terá essa conotação.

"Por que você é vegetariano?"

Você não deve ter dificuldade para explicar as razões pelas quais se tornou vegetariano, mas, se quiser, mostre o primeiro capítulo deste livro sempre que ouvir essa pergunta. Ou você sempre pode responder no tom deste texto que li na internet: "Inicialmente, tornei-me vegetariano pelos animais, pois não aceitava ser conivente com sua dor e sua exploração. Passado um tempo, o que passou a me atrair no vegetarianismo foi sua relação benéfica com o meio ambiente. Depois a saúde ganhou importância. Hoje, sou vegetariano só para incomodar as pessoas".

"Preparei este prato, mas você não come mais, não é? Que pena!"

Pode acontecer também que, no momento em que você se torne vegetariano, a família resolva fazer todos seus pratos preferidos com carne, na tentativa de demovê-lo da ideia de seguir uma nova proposta de vida. Fique tranquilo, pois, depois que perceberem que você consegue resistir, isso passa. Se não resistir, eles vão continuar.

"Carne faz mal mesmo?"

É indiscutível que o hábito de comer carne faz mal ao animal que foi morto e ao meio ambiente. Além disso, seu consumo está associado a diversos problemas de saúde (leia o capítulo 1, "Definições, conceitos e razões"). A carne processada é carcinogênica, como já conversamos, e em breve a carne não processada deve entrar nessa classificação também, pois são inúmeros estudos mostrando isso.

"Que radical!"

Quando uma pessoa vive de acordo com seus princípios, ela é chamada de coerente. Mas, quando um vegetariano vive de acordo com seus princípios, é chamado de radical. Sugiro muito critério nessa hora, pois o discernimento é o limiar da discriminação entre a coerência e o radicalismo. Alguns precisam passar por diversas experiências para amadurecer e atingir o ponto de equilíbrio. Toda experiência é válida, mas sempre com o cuidado de não incorporar atitudes e hábitos que possam ser nocivos a você e aos outros.

Se um vegetariano para de comer derivados animais, ocorre um furdunço na família. Mas é muito mais assustador ver um adolescente se enchendo de refrigerante, batata frita, alimentos refinados e com corantes (como balas) na frente de um *video game* , sem parar para se exercitar, do que um vegetariano procurando seguir seus princípios (desde que com informações), muito embora a sociedade pense o contrário.

"Olha que a soja deixa o homem feminino, viu?"

Esses são os ecoterroristas. Criei esse nome para designar as pessoas que se manifestam nas redes sociais sobre os efeitos letais de alguns alimentos de origem vegetal. A pretexto de transmitir informação científica, circulam na internet artigos com os mais absurdos comentários.

Você vai ler, por exemplo, que, por causa de seus hormônios naturais, a soja deixa o homem afeminado. Ou que o óleo de canola intoxica, ou que o glúten entope o intestino. Há pessoas que não devem comer esses alimentos, assim como outros, em situações específicas, mas tenha cuidado com as informações que circulam. Nem sempre os autores desses textos são médicos ou nutricionistas. E muitas vezes, mesmo sendo, não tiveram o cuidado de estudar o assunto de forma mais profunda e criteriosa.

Perceba que o vegetariano provavelmente já ouviu tudo isso

Se você não quer criar situações desagradáveis com um vegetariano, evite falar sobre o assunto de forma a ridicularizá-lo ou perturbá-lo. Piadinhas e comentários desnecessários uma vez ou outra ainda dá para tolerar. O problema é quando isso é uma constante. Há muitos momentos em que o último assunto que os vegetarianos desejam debater é o vegetarianismo.

Capítulo 9

ENTÃO QUER DIZER QUE NÃO É BEM ASSIM?

A dieta vegetariana é cercada por diversos mitos oriundos de conceitos existentes no imaginário dos vegetarianos e dos não vegetarianos.

Antigamente, alguns profissionais, talvez com a intenção de convencer as pessoas a se tornarem vegetarianas, difundiam conceitos errôneos, atribuindo ao vegetarianismo poderes e mecanismos fisiológicos que não são possíveis. Já os profissionais contrários ao vegetarianismo, por falta de estudo, difundiam outros tantos absurdos.

Defender um ponto de vista é saudável, desde que a verdade prevaleça. Sem imparcialidade não pode haver um julgamento correto. Vamos discorrer sobre alguns desses mitos.

Adrenalina

Existe uma teoria segundo a qual a adrenalina, um hormônio produzido pelo animal e liberado no momento do abate, pode alterar o funcionamento do organismo humano se a carne desse animal for ingerida, tornando as pessoas agressivas e agitadas, mas essa teoria é irreal.

É fato que a adrenalina é produzida pelo animal sempre que ele está em situação de estresse, de alerta ou de medo, como ocorre às vésperas e no momento do abate. No entanto, a adrenalina se degrada muito rapidamente, mesmo após a morte do animal. Ainda que ingeríssemos a adrenalina do animal ao comer sua carne, isso não nos afetaria em nada, pois a adrenalina absorvida por via oral não funciona em nosso corpo, já que ela é inativada no intestino delgado. Se um pouco fosse assimilada aí, ela terminaria de ser inativada no fígado e, portanto, não causaria nenhuma alteração comportamental. Em medicina, a adrenalina nunca é administrada por via oral, mas diretamente na veia, sob a pele e, algumas vezes, pelas vias respiratórias. Apenas dessas maneiras ela apresenta efeitos em nosso organismo.

No entanto, o caso da adrenalina não pode ser transposto para todos os hormônios. A ingestão da glândula tireoide de um animal, por exemplo, pode causar sérios problemas, pois seu hormônio pode se manter ativo em nosso corpo. E isso já aconteceu nos Estados Unidos, quando faziam hambúrgueres usando, além dos demais miúdos bovinos, a sua glândula tireoide. Isso levou a muitos casos de hipertireoidismo.

A alimentação vegetariana influencia o humor, tornando seus adeptos menos agressivos

Não há confirmação científica de que apenas o consumo de carne aumenta a agressividade do indivíduo. Em parte, essa ideia é decorrente da questão da adrenalina, como expliquei anteeriormente.

Entre as pessoas que modificaram a alimentação por razões éticas ou filosóficas, o foco da atenção e a postura diante da vida costumam ser diferentes dos do onívoro. A conscientização em relação à morte e à violência ajuda a redirecionar ou dissipar a agressividade. Mas é importante ressaltar que alguns vegetarianos, inconformados com a barbárie cometida contra os animais, podem, por sua vez, se tornar agressivos, tanto nas relações pessoais quanto nas redes sociais.

Há um estudo (uma espécie de revisão científica que chamamos metanálise) patrocinado pela indústria da carne que diz que vegetarianos têm maior risco de desenvolver depressão ou distúrbios mentais relacionados a essa doença. Ter consciência sobre o que ocorre no mundo e ter compaixão no coração pode levar à ansiedade e aos transtornos de angústia, pois perceber que a maioria das pessoas é cega com relação a isso dói muito. Mas a conclusão desse artigo específico vai na linha de "é o bombeiro que coloca fogo no prédio, pois onde há fogo, há bombeiros". Em outras palavras, o artigo tenta provar uma correlação associativa, mas um não é causa do outro.

A adoção do vegetarianismo ocorre, em grande parte das pessoas, por conseguir olhar o mundo por um prisma diferente. O vegetarianismo não leva à ansiedade e depressão, mas ter lucidez no meio de iludidos ou sensibilidade em um mundo insensível pode levar. Não me assusta um estudo apontar para mais ansiedade nesse grupo, mas isso não ocorre por questões nutricionais, e sim por juízo de valor.

Ainda no contexto da agressividade, podemos também enxergar a questão por um ângulo espiritualista, segundo o qual a energia sutil é transferida ao alimento ingerido. Desse ponto de vista, a dor e o sofrimento do animal abatido são incorporados ao indivíduo que se alimenta da sua carne, tornando possíveis todos os distúrbios emocionais. A ciência médica não dispõe de ferramentas para fazer essa avaliação.

Vegetarianos têm ortorexia

Esse termo eventualmente é utilizado em revistas ou reportagens em associação com o vegetarianismo. A ortorexia é uma alteração do hábito alimentar ainda não reconhecida como doença, embora seja comentada por alguns autores desde o final do século passado. "*Ortho*" significa "correto" e "*orexis*", "apetite". A ortorexia pode ser considerada uma alteração do hábito alimentar em que a pessoa mostra obsessão pelo consumo de alimentos saudáveis, como um "culto" a eles. Essa obsessão decorreria do desejo de melhorar a saúde, tratar doenças ou perder peso.

O que dizer sobre isso? Até que ponto seria um distúrbio? É possível que essa alteração possa ser tão intensa a ponto de trazer distúrbios e ser classificada como doença, mas os critérios de avaliação devem ser muito claros, e não superficiais, a ponto de associá-la aos vegetarianos.

A ortorexia ainda não é considerada doença, principalmente porque em todo o mundo os hábitos da população deixam muito a desejar no quesito saúde, e nem sempre é simples avaliar distúrbios mentais. Quem tem um mínimo de conhecimento sobre boa alimentação e saúde percebe a atrocidade que são os alimentos vendidos diariamente à população. Os alimentos ultraprocessados, excessivamente salgados, ricos em gordura saturada, entre outras variedades reconhecidamente nocivas, são a realidade da alimentação de grande parte das pessoas. E o consumo desses alimentos ainda não foi classificado como distúrbio alimentar. Com base no padrão da ortorexia, talvez pudéssemos estabelecer novos parâmetros de distúrbios alimentares:

- *Junkoréxico:* proveniente de "*junk*" ("lixo", "sucata") e "*orexis*" ("apetite"). A pessoa junkoréxica tem verdadeira adoração por *fast-food* e por alimentos refinados, processados e gordurosos. Os portadores desse distúrbio não se incomodam em utilizar alimentos que façam mal à saúde ou não conseguem resistir à tentação de utilizá-los, mesmo quando sabem que não deveriam. Nesse distúrbio, é comum a pessoa fazer a si mesma "promessas" periódicas de que não comerá mais esses alimentos, mas, após algum tempo (geralmente curto), volta a comê-los.
- *Crueloréxico:* proveniente de "cruel" e "*orexis*" ("apetite"). Crueloréxica é a pessoa que se alimenta de produtos derivados da crueldade cometida contra seres sencientes. O crueloréxico pode ser classificado em três subtipos:
  - *Crueloréxico consciente:* é o indivíduo que mantém o hábito de comer animais mesmo depois de saber que esses seres sofrem para servir de alimento ao ser humano. Pode ou não haver arrependimento logo após a prática alimentar.
  - *Crueloréxico pseudoinconsciente:* é o que mantém o hábito de comer animais e se recusa a ouvir ou a assistir a cenas que mostrem o que está por trás de sua alimentação.
  - *Crueloréxico inconsciente:* é aquele que se alimenta de animais sem ter a menor noção de que está comendo seres sencientes e, assim, mantém uma cadeia contínua de imposição de dor e sofrimento aos animais.

Se estabelecêssemos esses novos critérios de distúrbios alimentares, quase toda a população mundial poderia receber um rótulo. O que está sendo avaliado são valores, pontos de vista e a consciência de cada um. A preocupação com os distúrbios surge quando a atitude gerada pelo comportamento ou pela ideia traz consequências negativas para a pessoa e para a sociedade. Para muitos vegetarianos, a preocupação também se estende a atitudes que afetam os animais e o meio ambiente, o que, indiretamente, também afeta a pessoa e a sociedade.

Vegetarianos têm anorexia

Há muito mais anoréxicos vegetarianos do que vegetarianos anoréxicos. Expliquei isso no item 12 do capítulo 3, "Meu filho virou vegetariano. Socorro!", mas repito aqui: a dieta vegetariana não leva ninguém a ter anorexia. No entanto, algumas pessoas com anorexia se aproveitam da falta de conhecimento sobre o vegetarianismo para esconder sua doença. Afinal, vegetariano é "sempre magro".

Virar vegetariano emagrece

Não caia nessa. Os estudos demonstram que os vegetarianos, quando comparados aos onívoros, tendem realmente a ser mais magros. O padrão alimentar vegetariano tende a ser mais saudável e menos calórico, além de proporcionar alterações orgânicas muito interessantes para a perda de peso. No entanto, emagrecer ou engordar não depende apenas do consumo de carne. Há vegetarianos que engordam, outros que emagrecem e outros que mantêm o peso.

Os alimentos que um vegetariano pode utilizar e que mais favorecem o ganho de peso são queijos, óleos e frituras, oleaginosas e açúcares (doces). Os cereais refinados podem contribuir também, assim como os ovos. Os vegetarianos também podem engordar quando adotam o troglo-ovolactovegetarianismo, o troglolactovegetarianismo e o troglovegetarianismo. Ou seja, engordam porque comem muito, como um troglodita.

Vegetarianos adoram verduras

Vegetarianos não comem carne. Esse é o conceito. Inclusive alguns param de comê-la ainda gostando de seu sabor. Assim como os onívoros, há vegetarianos que adoram verduras e outros que detestam. As verduras são saudáveis, seu consumo deve ser estimulado, mas não há associação entre ser vegetariano e adorar verduras.

Vegetarianos comem tudo orgânico

Claro que não. Vegetarianos não comem carne. A ideia de comer alimentos orgânicos é excelente e deve ser estimulada, tanto entre onívoros quanto entre vegetarianos.

Vegetarianos comem mais agrotóxicos

Vamos rever a cadeia alimentar que aprendemos nas aulas de ciências e biologia na escola. Alguns componentes podem ser acumulados no organismo. O DDT, por sua característica de se acumular no organismo, foi um produto químico muito estudado nesse contexto e utilizado como exemplo clássico do que ocorre na cadeia alimentar. Assim, se 1 grama de planta tem x DDT e o gafanhoto comeu 10 gramas, ele fica com 10x de DDT no seu organismo. O pássaro que comeu 10 gafanhotos terá 100x de DDT. O ser humano que comeu 10 pássaros terá 1.000x de DDT no seu organismo. Observe que a contaminação aumenta conforme se sobe na cadeia alimentar.

Assim, ao ingerir um animal, incorporamos uma quantidade maior de agrotóxicos e compostos do que ao ingerirmos os vegetais, desde que esses compostos permaneçam de forma cumulativa no animal. Essa contaminação é maior ainda se o animal foi criado confinado, ingerindo rações (que são feitas de vegetais cultivados industrialmente e que contêm agrotóxicos). O animal criado livre na natureza tende a ser menos contaminado.

No início deste livro, forneci dados comparativos sobre os impactos ambientais e a acumulação de agrotóxicos em 1 quilo de carne bovina e em 1 quilo de feijão; a produção da carne leva dez vezes mais pesticidas.

Vegetarianos devem praticar atividades físicas com cuidado

Por quê? A perna deles cairá? Essa ideia só pode existir na cabeça de quem acha que a dieta vegetariana é inadequada em termos nutricionais e que os vegetarianos vão desmontar ao tentar contrair um pouco mais os músculos. A dieta vegetariana permite a prática de atividades físicas exaustivas com o mesmo desempenho dos atletas onívoros. Os estudos sobre atividades de longa duração mostram esse fato com muita clareza.

São exemplos de atletas veganos: Carl Lewis (medalhista olímpico nos 100 metros rasos), Lewis Hamilton (piloto de Fórmula 1) e Serena Williams (tenista). São exemplos de atletas ovolactovegetarianos ou lactovegetarianos: Éder Jofre (bicampeão mundial de boxe), Edwin Moses (122 vitórias consecutivas nos 400 metros com barreiras, duas medalhas de ouro olímpicas, dois títulos mundiais, quatro recordes mundiais), e Martina Navratilova (tenista com 167 títulos conquistados e nove títulos do Torneio de Wimbledon).

Experimente! Você não vai desmontar ao se exercitar.

Vegetarianismo é modismo

Em estatística, o termo "moda" designa o valor que aparece mais vezes em uma amostra (no caso, a população). Se os vegetarianos são minoria, sua dieta pode estar em evidência por diversos motivos, mas não é moda. "Moda" também é uma "tendência de consumo atual". Por essa definição, sim, a dieta vegetariana é moda porque é tendência; no entanto, não significa que a adoção do vegetarianismo está associada a motivos fúteis.

Vegetarianos são extraterrestres

Não são, mas muitas vezes é assim que são vistos, afinal o planeta é povoado por onívoros. Muitas vezes são os próprios vegetarianos que se sentem alienígenas. Ser diferente nem sempre é fácil. Ajustes sociais são necessários em diversas situações. Se você convive com um vegetariano, lembre-se de que ele teve motivos para adotar essa forma de vida. Não seja mais um ufólogo. Deixe-o à vontade.

Vegetarianos ficam flácidos por não comer colágeno

O colágeno é um tecido de sustentação no nosso organismo. Há pessoas que, equivocadamente, associam a não ingestão de carne (fonte de colágeno animal) com a falta de colágeno no organismo humano – o que causaria alterações na consistência da pele.

No entanto, o colágeno ingerido por meio das carnes não se transforma em colágeno no nosso corpo. Para produzir colágeno, nosso organismo precisa quebrar a proteína ingerida e, utilizando seus aminoácidos, montar o próprio colágeno, que será inserido em regiões específicas do corpo. Da mesma forma que não é preciso comer fígado para ter fígado, não é necessário ingerir colágeno para ter colágeno. O colágeno é produzido a partir dos aminoácidos e de outros nutrientes encontrados abundantemente na dieta vegetariana.

A gelatina, além de ser um composto derivado do abate de animais – ou seja, não é um produto vegetariano –, não é uma fonte rica em proteínas e colágeno, como muitos acreditam.

Há estudos apontando o uso de colágeno com terapêutica para reposição, mas os resultados são incertos. Quando se trata do metabolismo, há uma regra que diz que é melhor remover a agressão do que otimizar a proteção. E, sobre esse tema, há dois aspectos importantes a serem considerados:

- Quanto mais antioxidantes a dieta contém, menos colágeno é destruído. O reino vegetal contém 64 vezes mais antioxidantes do que o animal, então adotar uma alimentação vegetariana baseada em produtos naturais e integrais traz vantagens para a estrutura da pele.
- Níveis elevados de cortisol (um dos hormônios produzidos em situação de estresse) causam destruição do colágeno. Assim, menos estresse significa maior preservação.

Vale a pena ressaltar que, quando uma pessoa está acima do peso e emagrece, a pele tende a ficar sobrando. Com atividade física é possível aumentar o volume e o tônus dos músculos, que ocupam o espaço interno e deixam a pele mais esticada.

Logo, não é o vegetarianismo que leva à flacidez.

Vegetarianos não têm colesterol alto

O fígado é responsável pela produção de cerca de 70% a 80% do colesterol do organismo onívoro. Como contém gorduras mais saudáveis, vegetais e grãos integrais, a dieta vegetariana costuma reduzir os níveis de colesterol no sangue. Sono adequado e atividade física também são fatores que influenciam a taxa de colesterol. Em geral, quando comparados aos onívoros, os ovolactovegetarianos têm 14% menos colesterol e os vegetarianos estritos, 35% a 40%.

Mesmo assim, isso não quer dizer que os vegetarianos tenham sempre níveis normais de colesterol. Fatores genéticos também entram na conta. Atendo pacientes vegetarianos com peso adequado que têm dieta perfeita, atividade física exemplar e colesterol elevado. E há obesos com dieta inadequada e sedentários, mas com colesterol adequado. É fato que o estilo de vida e a alimentação ajudam muito, mas a genética também tem seu papel.

Vegetarianos estritos não conseguem produzir todo o colesterol de que necessitam

Há uma ideia equivocada de que, se não ingerirmos nada de colesterol pela alimentação, não teremos colesterol circulante no organismo suficiente para a manutenção do corpo, que depende dele para a formação das membranas celulares e para a produção de diversos hormônios. Como os vegetarianos estritos não consomem nenhum produto de origem animal, eles seriam os mais prejudicados pela abstenção do colesterol dietético.

Essa concepção vem do desconhecimento do fato de que o fígado é o responsável pela maior parte do colesterol produzido no organismo. Os vegetarianos estritos conseguem, sim, manter uma produção mais do que satisfatória de colesterol, como evidenciam diversos estudos científicos e a dosagem sanguínea. Há inclusive pessoas com níveis de colesterol mais elevados do que o tido como normal, pois o fígado pode exceder a produção considerada adequada em algumas circunstâncias.

Vegetarianos não podem ser submetidos a cirurgias

Por que não? A anatomia dos vegetarianos muda e o cirurgião não sabe o que fazer lá dentro? Os vegetarianos não cicatrizam? Os vegetarianos podem ser submetidos a qualquer cirurgia, sim. "Mas mesmo a bariátrica?", você vai perguntar. Claro, por que não? Acompanho vários pacientes que fizeram essa cirurgia há anos e estão ótimos. Uma delas inclusive corre meias maratonas. Os vegetarianos submetidos à redução de estômago têm vários recursos à sua disposição. Eles também são seres humanos e podem se manter saudáveis em qualquer situação sem comer carne. O medo de colocar um vegetariano em um centro cirúrgico é infundado.

Somos naturalmente vegetarianos. Conseguíamos a vitamina B12 do solo e da pouca higiene dos alimentos na Antiguidade

Não é o que os dados de evolução indicam. Não vou entrar nos aspectos religiosos da existência humana, mas apenas nas questões históricas.

Há mais de 3 milhões de anos, existiu um hominídeo chamado *Paranthropus boisei*. Segundo suas características fósseis, ele era vegetariano. Esse hominídeo não era exatamente como nós e se alimentava de partes dos vegetais que hoje não conseguimos digerir. Ele foi dizimado na era das glaciações, pois houve escassez de alimentos vegetais. Todos os demais hominídeos, inclusive nossos ascendentes, eram onívoros. Alguns comiam carne em quantidades consideráveis. A ideia de que antigamente o ser humano vivia em completa harmonia com a natureza não encontra respaldo em inúmeras pesquisas. A vida era bem selvagem (talvez não muito mais do que hoje, mas de uma forma diferente), e a caça, uma necessidade.

A história da medicina e da nutrição mostra com clareza as inúmeras carências nutricionais que sempre existiram, mas que não eram diagnosticadas por falta de conhecimento. As descobertas vieram aos poucos, como é de esperar. O mais provável é que nossos ancestrais obtivessem a vitamina B12 (que é produzida por bactérias) não por causa da má higiene, mas porque comiam carne mesmo. Porém, adotar a dieta vegetariana não significa contrariar a natureza. Diversos estudos científicos que cito no primeiro capítulo deste livro comprovam que ela traz benefícios à saúde. No mundo atual, temos plenas condições de viver com saúde sem nos alimentar de animais.

O trato gastrointestinal dos seres humanos é mais parecido com o de animais herbívoros

O trato gastrointestinal humano está apto a digerir todos os alimentos, inclusive a carne. Temos enzimas digestivas que executam todo o processo. Nosso sistema digestório não é carnívoro nem herbívoro. No entanto, ele pode ser vegetariano ou onívoro, mas sempre com o mínimo de carne possível (quando ela é utilizada).

Ser vegetariano significa ser saudável

Claro que não! A saúde decorre de uma composição bastante ampla de fatores, e a alimentação é um deles. Há onívoros mais saudáveis do que vegetarianos. O que acontece – e os estudos científicos mostram – é que os vegetarianos tendem a adotar um estilo de vida mais saudável do que os onívoros. Se for esse o seu caso, sua saúde deve melhorar. Caso contrário, não espere muitas modificações.

Vegetarianos não adoecem

Algumas linhas filosóficas que adotam o vegetarianismo trazem ideias deturpadas sobre a saúde e o ser humano, entre elas a de que, ao vivermos em equilíbrio com a natureza, as doenças não têm espaço no organismo humano.

Por mais atraente que seja essa ideia, e por mais que realmente devêssemos nos aproximar da natureza, a saúde não depende apenas dessa interação nem são todas as doenças que se desenvolvem apenas por má alimentação ou pelo estilo de vida inadequado. Muitas doenças estão relacionadas à herança genética e a fatores ainda desconhecidos.

Por outro lado, há linhas filosóficas que preconizam, por exemplo, dietas vegetarianas pobres em cálcio, que provocam alterações ósseas precoces ao longo do tempo. Tenho pacientes nessas condições. Isso pode ser visto nitidamente pelos sintomas e/ou por exames de sangue de quem tem alterações nutricionais.

Vegetarianos adoecem, sim. Não se engane e tenha empatia com quem adoece, seja vegetariano, seja onívoro.

Vegetarianos não precisam de médicos e remédios

Ao avaliar as populações vegetarianas, observamos dados interessantes. Um estudo com quase 28 mil vegetarianos, sendo 55% estritos, demonstrou que os onívoros apresentavam mais doenças do que os vegetarianos. Além disso, as mulheres onívoras tomavam de 70% a 115% mais medicamentos do que as vegetarianas, e os homens onívoros tomavam o dobro.

Esses dados mostram o efeito benéfico do estilo de vida vegetariano. No entanto, os vegetarianos devem ter em mente que, para ter saúde, fugir dos alimentos processados e incluir na dieta alimentos naturais, que proporcionem equilíbrio de nutrientes, é tão importante quanto deixar de comer carne.

Quanto a ficar longe de médicos, isso é relativo. Como médico, meu foco é a prevenção de doenças por meio da avaliação metabólica e nutricional. Raramente atendo um paciente (onívoro ou vegetariano) sem deficiência ou excesso nutricional. As correções podem evitar o surgimento de doenças crônicas e degenerativas, além de contribuir para aumentar o bem-estar. Parece-me razoável consultar um médico e/ou um nutricionista periodicamente para evitar problemas, seja você onívoro ou vegetariano.

Vegetarianos não precisam de vacina

Esse tema ganhou muito espaço na mídia e em discussões sobre vegetarianismo, com a polêmica de que as pessoas não devem ser vacinadas. Muitos vegetarianos aderiram à proposta. Os vegetarianos costumam ter um bom sistema imunológico, mas isso não garante imunidade contra infecções, sejam elas virais ou bacterianas.

Há vacinas muito seguras, outras menos, e você deve conversar com seu médico ou pediatra sobre a importância delas para si ou para seus filhos. Recomendo que as crianças sejam vacinadas, pois os benefícios superam os riscos.

Uma conversa séria sobre vacinas

É preocupante quando ficamos sabendo de pais vegetarianos que não fazem a vacinação de rotina nos filhos por acharem que as vacinas contêm células animais. Não é uma questão banal: a cada dia cresce o movimento antivacinação ("*anti-vax*"), baseado em informações distorcidas que estão amplamente disponíveis. Os *anti-vaxers* somavam mais de 6 milhões de pessoas em redes sociais em 2019. Um estilo de vida com alimentação baseada em plantas não é congruente com o movimento *anti-vax*, mas existe uma forte tentativa por parte dos adeptos da antivacinação de mostrar ligações com o veganismo, como meio de promover seus conceitos, teorias conspiratórias e crenças. Mas o modo de vida vegano nunca se propôs a contrariar conceitos sólidos e estabelecidos de saúde pública.

O sentimento da comunidade médica é de apreensão, pois é evidente que essas pessoas nunca tiveram contato com as doenças que foram erradicadas pela vacinação, não sabem o que significa um surto de poliomielite ou sarampo. Não vemos mais crianças paralisadas, usando aparelhos para locomoção, ou cobertas de feridas de varíola. Assim, o fantasma das doenças ficou distante, e as pessoas passaram a temer as vacinas.

Nos Estados Unidos, alegando motivos religiosos ou crenças pessoais, muitos pais têm impedido a vacinação de crianças, o que já traz reflexos: nos estados onde basta uma declaração dos pais para deixar de fazer a vacinação obrigatória, observou-se um aumento de 50% nos casos de coqueluche. Um surto de sarampo vitimou 34 crianças no estado de Indiana, cujos pais alegaram motivações religiosas para a não vacinação. A triste síndrome da rubéola congênita, que leva a graves malformações cardíacas e cerebrais e estava desaparecida há tantos anos, voltou a aparecer na Holanda em 2004: 29 gestantes foram infectadas. O surto teve origem em uma comunidade religiosa que se abstinha da vacinação. A decisão de não vacinar a si mesmo ou os filhos não é tão simples, pois tem consequências para a sociedade como um todo.

Junto com o Dr. Orlei Ribeiro de Araújo, médico pediatra e infectologista, tentaremos esclarecer alguns dos questionamentos mais comuns das pessoas que se opõem à vacinação.

As vacinas contêm células e outros produtos de origem animal?

Células animais, não. A maioria das vacinas tem, durante o processo de fabricação, contato com produtos de origem animal. Isto se deve ao simples fato de que as bactérias e os vírus que causam doenças são parasitas obrigatórios de homens e animais. Para produzir vacinas, é necessário cultivar esses agentes em laboratório, e a maioria não se reproduz sem alguns nutrientes de origem animal. Assim, bactérias e vírus são cultivados em meios aos quais pode ser necessário acrescentar produtos como gelatina, esqualeno, aminoácidos, glicerol ou soro (parte líquida do sangue sem as células) de bois ou outros animais, e até mesmo soro humano. Alguns vírus só se reproduzem em culturas de células, como o da poliomielite, ou em ovos de galinha embrionados, como o da gripe. Nas etapas subsequentes da fabricação, um exaustivo processo de filtração elimina esses produtos de origem animal, mas resíduos de proteínas podem permanecer. Um exemplo são as vacinas contra *influenza* (gripe), que podem conter resíduos de proteínas de ovo. Não permanecem células animais nas vacinas. Podemos afirmar que praticamente inexistem vacinas veganas, que utilizem apenas meios sintéticos para produção.

As vacinas contêm produtos químicos que podem fazer mal à saúde?

As vacinas contêm conservantes, que as mantêm livres de contaminação, e adjuvantes, que potencializam a resposta imunológica e podem conter traços de antibióticos.

Houve uma grande preocupação com o conservante timerosal, por conter mercúrio. Um artigo com dados falsificados foi publicado na revista *Lancet* em 1998 por Andrew Wakefield, associando a vacina MMR (sarampo, caxumba e rubéola), que contém timerosal, ao desenvolvimento de autismo em 12 crianças. Mais tarde, descobriu-se que Wakefield recebia pagamento de escritórios de advocacia envolvidos com processos de indenização contra indústrias farmacêuticas. Além disso, ele coletou amostras de sangue de colegas de seu filho em uma festa de aniversário, pagando 5 libras a cada um. O autor foi criminalmente responsabilizado, seu registro médico foi cassado, o artigo foi retirado, outras pesquisas o desmentiram, mas a crença nessa associação ainda é um dos motes do movimento antivacinação.

Sabemos com segurança que a quantidade de mercúrio acumulada no corpo de uma criança com a vacinação completa está muito longe (cerca de mil vezes menos) da quantidade necessária para causar qualquer dano à saúde. De todo modo, o timerosal foi removido da maioria das vacinas. Os outros conservantes (fenol e fenoxietanol) nunca foram relacionados a nenhum problema grave, existindo apenas um relato de eczema possivelmente relacionado ao fenoxietanol.

O adjuvante mais utilizado é o hidróxido de alumínio, que pode estar relacionado a reações locais, como vermelhidão e endurecimento no local da aplicação, sem nenhum relato de efeitos prejudiciais graves.

Os antibióticos utilizados para evitar contaminação durante a produção (neomicina, polimixina B, entre outros) podem deixar resíduos nas vacinas. São antibióticos usados também em algumas doenças humanas, e os resíduos vacinais não trazem riscos, a não ser de reações locais (vermelhidão). Nunca foram documentadas reações graves a esses resíduos.

É verdade que restos de fetos abortados são utilizados na fabricação das vacinas?

Não. Essa história tem origem no desenvolvimento das linhagens de células diploides utilizadas em culturas de vírus (como de raiva, hepatite A e varicela) para produção de vacinas. Essas células, quando colocadas em meios de cultura adequados, se reproduzem indefinidamente. Duas das linhagens utilizadas atualmente (denominadas MRC-5 e WI-38) são originárias de tecido embrionário de três fetos abortados nos anos 1960, doados para pesquisa. Nunca foram feitos abortos com o fim específico de produzir vacinas, e as células não estão presentes no produto final. Como existe a preocupação, por parte de pessoas religiosas, de serem cúmplices dos abortamentos que originaram as células ao receber uma vacina, o Centro Nacional de Bioética Católica dos Estados Unidos se manifestou sobre o assunto, de maneira bastante lúcida, concluindo que o uso dessas vacinas não é cúmplice nem contrário à oposição religiosa ao aborto. As vacinas foram consideradas éticas pelos analistas católicos, por não existir vínculo causal nem temporal entre os abortamentos de mais de quarenta anos atrás e a produção atual.

Os médicos escondem os efeitos colaterais das vacinas?

Não. A notificação de efeitos vacinais adversos é obrigatória em quase todos os países, e são dados públicos, podendo ser consultados, no Brasil, no *site* da Agência Nacional de Vigilância Sanitária (Anvisa).

É verdade que as vacinas podem causar efeitos colaterais graves e até morte?

Vacinas são imperfeitas, como qualquer outro produto humano, e podem causar efeitos colaterais. A imensa maioria desses efeitos é leve. Uma compilação de dez anos de registros dos Centros de Controle de Doenças dos Estados Unidos (CDC) mostra que, em mais de 1,9 bilhão de doses de 27 tipos de vacinas aplicadas, foram notificados 11,4 relatos de efeitos colaterais possivelmente associados à vacinação em cada 100 mil doses aplicadas. Destes, a febre foi o relato mais comum (26%), seguida de dor, inchaço e vermelhidão no local da aplicação. Foi notificada 1,6 reação adversa séria para cada 100 mil doses aplicadas (por definição, efeitos sérios são os que causam lesão permanente, hospitalização e risco de morte). É importante ressaltar que a notificação não implica causalidade, existindo em princípio apenas a relação temporal. Todos os relatos de morte foram investigados, e a maioria foi de crianças vítimas da Síndrome de Morte Súbita da Infância, não existindo vínculo causal com a vacinação. De 206 mortes possivelmente relacionadas à vacinação, apenas a morte de uma mulher de 28 anos, que apresentou um doença neurológica aguda (Síndrome de Guillain-Barré) após uma vacina antitetânica, foi considerada como causada por vacina.

As vacinas de um modo geral são seguras, e o risco de efeitos colaterais é pequeno e imensamente compensado pelos benefícios.

Como vegetarianos têm um modo de vida saudável e uma alimentação correta, não necessitam receber vacinas, que são antinaturais e produzem alterações não naturais no sistema imunológico, certo?

Errado. Infelizmente modos de vida e pensamentos corretos não nos tornam imunes a infecções. As vacinas provocam uma resposta natural, que é a formação de anticorpos contra um agente infeccioso, e a memória desta resposta. A grande descoberta humana foi provocar essa resposta sem a necessidade de desenvolver a doença.

O que é imunidade de rebanho?

É uma expressão utilizada com frequência em políticas de saúde pública e significa que, se todos são vacinados contra uma doença evitável por imunização, essa doença pode desaparecer. Mas uma pessoa não vacinada pode trazer o vírus ou a bactéria de volta para uma comunidade ou um país onde a doença já não se manifestava. Um bom exemplo são os casos de sarampo observados no Brasil em 2005, quando o vírus foi trazido da Ásia por um surfista. As duas crianças que viajaram no mesmo voo do surfista e adquiriram a doença eram irmãos que não foram vacinados por orientação de medicinas alternativas.

Ao obrigar pessoas a tomar vacinas, o governo não estaria violando as liberdades individuais?

A discussão foge da área médica, mas existem algumas considerações a serem feitas. Sabemos que as vacinas são necessárias para controlar doenças graves. A não vacinação em massa pode provocar a morte e o sofrimento de milhões de pessoas. Uma pessoa que decide não se vacinar pode colocar em risco seus próximos e a sua comunidade; é uma atitude que traz consequências. Devemos considerar que, ao abrir mão de alguns de nossos princípios e assumir um pequeno risco ou desconforto na vacinação, estamos manifestando a preocupação com o próximo e contribuindo para o bem-estar de todos.

A questão é mais complicada quando envolve a vacinação de crianças. Ainda que seja uma atitude egoísta, um adulto pode perfeitamente decidir não se vacinar, mas será que os pais têm o direito de negar aos filhos a proteção da vacina? Segundo o Estatuto da Criança e do Adolescente, negar a vacinação pode ser considerado negligência. Não podemos estender à criança as nossas convicções e devemos respeitá-la como pessoa e pensar na sua proteção. É sempre melhor, em vez de obrigar os pais a vacinar os filhos, informá-los dos riscos e convencê-los de que os benefícios os superam.

Médicos só sabem dar remédios, são fantoches da indústria farmacêutica

Essa é realmente uma ideia distorcida do que é a ciência, de como o conhecimento é adquirido e de como funciona o comércio. Nessa teoria da conspiração, alguns acreditam que todos os estudos científicos são feitos com o objetivo de enganar os médicos e trazer lucros à indústria farmacêutica.

Em todas as áreas e profissões há os que trabalham porque precisam sobreviver e os que trabalham por amor ao ofício. Quando uma pessoa gosta do que faz, o faz com arte. Há o estudante de música que aprendeu a ler as partituras e o que, de alguma forma, traz a música dentro de si. Ambos são capazes de tocar a mesma canção, mas é nítido que ela vibra de forma diferente. Nós buscamos os profissionais com os quais nos identificamos.

Na minha opinião, quanto menos intervenção medicamentosa, melhor. Quanto mais deixarmos o corpo resolver as próprias disfunções, melhor. Há o momento apropriado para cada intervenção. Como diz o Dr. Antonio Cláudio Duarte, meu amigo, "alimento, treinamento, medicamento e pensamento, cada um no seu momento". Ou seja, às vezes o tratamento é feito com alimentação; às vezes, com atividade física; às vezes, com medicamentos; e, em muitos casos, é a parte psíquica a principal terapêutica. Embora todos os recursos possam ser utilizados ao mesmo tempo, a ênfase será dada a um ou outro.

O médico que estuda e tem discernimento não é um fantoche da indústria farmacêutica nem de nenhuma outra conspiração secreta criada para intoxicar os seres humanos. Uma avaliação adequada mostra o que é necessário para a boa saúde em cada momento.

A carne contém aminoácidos que nenhum outro alimento contém

Precisamos ingerir os aminoácidos que nosso corpo não consegue produzir. Eles são chamados de aminoácidos essenciais. Todos existem em abundância no reino vegetal e na dieta vegetariana. Cada alimento apresenta um teor próprio de aminoácidos, mas não há ausência deles nos alimentos vegetais. A simples combinação do arroz e feijão fornece tudo de que necessitamos. E essa combinação nem precisa ser feita na mesma refeição.

Entre os aminoácidos não essenciais, ou seja, aqueles que não precisamos ingerir porque são produzidos por nosso organismo, o reino vegetal não dispõe apenas da taurina. Porém, isso não prejudica em nada a nutrição dos vegetarianos. Nosso corpo produz toda a taurina de que necessitamos. Só os bebês precisam ingerir taurina, pois ainda não conseguem produzi-la. Nesse caso ela é suprida pelo leite materno, e, na impossibilidade da sua utilização, pelas fórmulas infantis especiais para lactentes. Sem contar que, nessa fase da vida, a criança não comeria carne.

Sendo assim, não há risco algum de carência da aminoácidos em uma dieta vegetariana que tenha um mínimo de planejamento, mesmo estrita. Os estudos científicos não apontam carência. Entre os pacientes que atendo, não encontrei nenhum vegetariano, mesmo com a dieta não planejada, com carência de proteína.

A carne apodrece no nosso tubo digestório

Mentira. Avaliar a decomposição da carne exposta em uma mesa é completamente diferente de avaliá-la no nosso tubo digestório. Sob a ação de enzimas digestivas, ela é digerida, e seus nutrientes são absorvidos por nosso organismo. As fezes de algumas pessoas têm odor mais desagradável, e isso pode estar associado ao maior consumo de carne e menor consumo de alimentos naturais ricos em fibras, mas não tem nada a ver com o apodrecimento da carne.

A carne fica dias no estômago, demora dias para ser eliminada e ainda fica presa no intestino

A digestão dos alimentos ricos em proteína e gordura, como a carne, é mais lenta. O tempo que um alimento demora para sair do estômago depende da sua composição de proteínas, gorduras, carboidratos, fibras, sal, temperatura e tamanho das partículas, entre outros fatores. A digestão da carne é mais lenta, mas após algumas horas (raramente mais do que seis horas, como com uma feijoada) ela já não está mais no estômago.

O tempo que a carne leva para ser eliminada pelas fezes depende de outros fatores, como a composição geral da dieta, hidratação, atividade física, teor de fibras etc. Por si só, na maioria das pessoas, a carne não "prende" o intestino nem causa obstipação.

A evacuação vai levar o que sobrou para as fezes, junto com os demais resíduos. A carne não tem um compartimento separado para ficar apodrecendo nem fica grudada no intestino enquanto os demais alimentos passam por ela.

A retirada da carne deve ser gradual

A decisão de retirar a carne do cardápio de uma vez ou de forma gradual deve ser feita de acordo com seu preparo emocional e das suas possibilidades práticas. Não há prejuízo ao organismo em retirá-la da noite para o dia quando o cardápio está bem ajustado. A retirada gradual pode ser justificada quando é necessário mais conhecimento para seguir em frente e quando a mente ainda não está preparada.

Parar de comer carne deixa o corpo fraco

O corpo só fica fraco se o estado psicológico estiver titubeante ou se a pessoa comer apenas verduras. Se o aporte de calorias e demais nutrientes for adequado, não há motivo algum para ter qualquer grau de debilidade.

A carne dificulta a digestão

O estômago tem a capacidade de acomodar cerca de 1,5 litro em uma única refeição. Quando o alimento ingerido chega ao estômago, diversos estímulos são desencadeados para que ele possa misturar esse alimento, digerir os nutrientes e encaminhar o seu conteúdo para o intestino.

No momento em que ingerimos o alimento ocorre o processo de acomodação e relaxamento na sua região mais alta (próxima do esôfago) para receber o que foi ingerido. Nesse processo há diversos mecanismos relacionados ao sistema nervoso central. Quando estamos descontraídos, essa acomodação é mais eficiente e os estímulos para produção das enzimas digestivas do estômago e dos demais órgãos relacionados à digestão se tornam mais pronunciados. Por isso, é importante fazer as refeições em local calmo e com a mente tranquila.

A parte mais baixa do estômago (próxima do intestino) tritura o alimento. Esses movimentos começam cerca de cinco a dez minutos após a ingestão da refeição e continuam enquanto há alimentos nele. Essa parte do estômago procura reduzir o tamanho dos alimentos para menos de 2 milímetros, pois só assim eles conseguem passar para o intestino. Alimentos mal mastigados exigem mais atividade do estômago e demoram mais para serem liberados para o intestino e digeridos. Portanto, mastigue bem antes de engolir.

De forma geral, após uma refeição, o alimento permanece de uma a cinco horas no estômago. Para que o alimento saia do estômago, existem algumas regras:

- Quando a refeição ingerida é líquida, o esvaziamento ocorre a partir do momento em que o alimento chega ao estômago.
- Quando a refeição é quase líquida (contém alguns pedaços), o esvaziamento se dá após cerca de cinco minutos.
- Quando a refeição é sólida, o esvaziamento começa após 20 minutos.

Alguns alimentos têm características que retardam o esvaziamento do estômago, por exemplo, ácidos, alta osmolaridade (muito doce ou muito salgado), ricos em calorias, elevado teor de fibras, elevado teor de gordura. Alimentos mal mastigados também demoram mais para sair do estômago. Em geral, o estômago libera para o intestino cerca de 200 calorias por hora.

Isso tudo quer dizer que o tempo e a velocidade de esvaziamento do estômago dependem de diversos fatores. Um líquido ácido e que tenha maior osmolaridade (suco de limão com açúcar) tem um tempo de permanência maior no estômago do que um copo de água, por exemplo.

Pelo teor mais elevado de gordura e proteína, a carne tem uma digestão mais lenta. Isso é ainda pior quando sua ingestão é excessiva, caso da maioria da população brasileira. Muitas pessoas sentem melhora na digestão ao retirar a carne. Outras se sentem satisfeitas ao reduzir sua quantidade. Laticínios são ainda piores para a digestão no aspecto de lentidão, pois contêm mais gordura do que as carnes, mesmo os queijos brancos.

Se temos dentes caninos é porque precisamos comer carne

Então precisamos avisar alguns animais frugívoros, pois muitos deles possuem dentes pontiagudos e só comem frutas.

Comer carne pelo menos duas vezes por semana é importante

Nenhum nutriente presente na carne fará diferença se ela for consumida duas vezes por semana. Nem a proteína, nem o ferro, nem a vitamina B12, nem o zinco.

Há deficiências nutricionais que só podem ser corrigidas com carne

Mentira. Se houver deficiência dos nutrientes encontrados em maior abundância na carne, serão necessárias doses muito elevadas para corrigi-la, algo que não pode ser feito apenas com a ingestão de carne. Vejamos a deficiência de vitamina B12. Uma dieta com bastante carne oferece cerca de 10 mcg de B12 por dia. Para corrigir a deficiência com 1.000 ou 2.000 mcg de B12 por dia, podem ser necessários cerca de seis meses. Isso também vale para o ferro e o zinco. Ou seja, para sanar esse tipo de deficiência é preciso tomar suplementos – em doses medicamentosas.

A cura de certos problemas de saúde exige carne

Não é verdade. Qualquer problema de saúde ou deficiência nutricional pode ser corrigida sem a carne. Se você é vegetariano e o mandaram comer carne por motivo de doença, desconfie. Há algo errado aí.

A dieta vegetariana é rica em carboidratos e pobre em gorduras e proteínas

Não é verdade. Parte dessa ideia vem da crença errônea de que os cereais (arroz, trigo, milho etc.) são compostos de muito carboidrato e quase nada de proteína. Veja a classificação de alimentos no item 14 do capítulo 7, "Como se tornar e ser vegetariano com segurança em 18 etapas".

Para atingir a quantidade adequada de calorias, precisamos ingerir componentes que forneçam calorias: carboidratos, proteínas e gorduras. Apesar de o álcool fornecer calorias, vamos deixá-lo de fora. Poderíamos ingerir todas as calorias diárias recomendadas comendo apenas gordura, mas sabemos que isso não é saudável. Assim, existe um percentual recomendado de cada grupo que devemos ingerir para ter uma boa nutrição. Recomenda-se que entre 45% e 65% das calorias consumidas sejam compostas por carboidratos; de 25% a 35%, por gorduras; e de 10% a 35%, por proteína (embora raramente esta ultrapasse 20%).

A análise de diversos estudos comparativos entre vegetarianos e onívoros mostra que a ingestão de carboidratos, proteínas e gorduras segue a seguinte proporção:

TEOR DE NUTRIENTES INGERIDOS
POR VEGETARIANOS E ONÍVOROS

	Porcentagem recomendada	Veganos	Ovolacto-vegetarianos	Onívoros
Carboidratos	45% a 65%	53,5% a 62,7%	51% a 62%	43,5% a 58%
Gorduras	25% a 35%	23% a 32%	25,2% a 34%	30,7% a 36%
Proteínas	10% a 35%	12% a 13,4%	12% a 13,8%	14,8% a 16,3%

Dessa forma, verificamos que a dieta vegetariana tende a manter uma excelente adequação de carboidratos, proteínas e gorduras. A escolha dos alimentos pode modificar essa proporção, mas verificamos que a variação decorrente das mudanças tende a não levar a proporção sugerida para limites além ou aquém da faixa de normalidade. A menor ingestão de gordura ocorre no grupo dos veganos (23%), cuja dieta seria composta exclusivamente por alimentos naturais integrais, sem nada industrializado e sem a adição de óleos.

E ingerir menos gordura do que essa recomendação aponta não traz absolutamente nenhum problema.

O arroz e o feijão devem ser consumidos na mesma refeição para obtermos os aminoácidos de que necessitamos

Para seres humanos, essa associação (arroz e feijão) é completamente desnecessária. O que importa é que todos os aminoácidos sejam ingeridos nas 24 horas do dia. Leguminosas (feijões) e cereais devem ser ingeridos ao longo do dia, mas não necessariamente juntos.

Proteínas e carboidratos não devem ser ingeridos na mesma refeição

Impossível. Algumas linhas de alimentação pregam que nunca se combinem na mesma refeição arroz e feijão, com a teoria de que proteínas e carboidratos não devem ser consumidos juntos. É possível não comer arroz e feijão na mesma refeição, mas impossível não consumir carboidratos e proteínas juntos, pois todos os alimentos (exceto os óleos e o açúcar) contêm ambos. Isso só será possível se a pessoa utilizar apenas carne na refeição (que só contém proteína com gordura) ou produtos alimentares modificados (como óleo ou açúcar consumidos isolados).

Há muitas informações sobre o que deve ou não ser misturado no seu prato. Cada linha preconiza uma combinação diferente, algumas totalmente divergentes entre si.

Os estudos mais importantes que temos nessa área se referem à combinação de nutrientes. Vitamina C e ferro, por exemplo, devem sempre estar na mesma refeição para que o ferro seja mais bem absorvido.

Certas combinações fazem algumas pessoas se sentirem melhor, mas não exercem nenhum efeito em outras. Em alguns casos, mesmo sem evidências científicas, oriento algumas combinações com resultados positivos. O cuidado é sempre combinar os alimentos de forma a garantir a ingestão de todos os nutrientes.

Frutas devem ser ingeridas após a refeição

Como já dito, de forma geral, um benefício muito importante para a saúde é a união, na mesma refeição, de alimentos ricos em ferro com vitamina C, que favorece a absorção de ferro. A combinação clássica são as frutas com os demais alimentos, especialmente feijões, cereais integrais e verduras. Portanto, deve-se incentivar o consumo de frutas nas refeições principais.

Não há respaldo científico para separar as frutas das refeições e comê-las um pouco antes ou um pouco depois, mas você pode fazer testes para descobrir como fica a digestão e a sensação de bem-estar. Pode-se testar também a combinação de uma fruta com outra, de acordo com a linha de alimentação que se está estudando.

A escolha por não misturar frutas com os demais alimentos (arroz, feijão...) é regra para algumas linhas alternativas de alimentação objetivando facilitar a digestão; segundo essas linhas, quando a fruta entra em contato com os demais grupos alimentares, a fermentação e a má digestão seriam inevitáveis. Não há estudos científicos que confirmem essa observação nem essas explicações (algumas delas pseudocientíficas); no entanto, é fato que muitas pessoas realmente se sentem melhores quando não fazem essa mistura.

Há pessoas que recomendam o consumo de frutas antes da refeição com o objetivo de preparar o estômago para a digestão e reduzir a vontade de comer doces após a refeição. Essa "preparação do estômago" não é respaldada por estudos científicos, pois nada muda com a chegada da fruta no estômago um pouco antes dos demais alimentos: tudo será misturado por horas. A redução da vontade de comer doces após a refeição é uma sensação individual e você pode fazer esse teste, se quiser.

No estômago, as frutas ácidas permanecem mais tempo do que as demais. Assim, se o objetivo de utilizar as frutas antes é não misturá-las com a refeição ingerida na sequência, isso só seria possível se o tempo esperado após a ingestão do suco for de pelo menos 30 minutos, tempo necessário para que um copo de líquido consumido isoladamente seja esvaziado pelo estômago. Se o líquido for ácido (suco de laranja, limão, tangerina, tamarindo...), esse tempo pode ser maior. Frutas mastigadas permanecem mais tempo ainda.

O uso de frutas (inteiras ou como suco) logo após a refeição traz o mesmo efeito que utilizá-las durante. Como o esvaziamento do estômago pode demorar até cinco horas após uma refeição caprichada, consumir a fruta logo depois do almoço inevitavelmente vai fazer com que ela encontre os demais alimentos ingeridos no estômago. Para a absorção do ferro, isso é excelente.

Para os que querem optar por separar as frutas das refeições, pelo menos três horas seria um tempo razoável para evitar que ela encontre os demais alimentos ingeridos anteriormente, mas lembre-se de ingerir verduras cruas em abundância na refeição para otimizar a ingestão de vitamina C.

Por mais que existam justificativas sobre as vantagens fisiológicas de não misturar frutas com os outros alimentos, essas explicações, apesar de às vezes utilizarem termos técnicos, não são científicas.

O que pode justificar retirá-las das refeições principais, ou da mesma alimentação que contenha outros grupos alimentares, é a sua sensação corporal e digestiva com essa combinação.

O ponto de maior atenção é que as frutas são excelentes fontes de vitamina C, que é o nutriente mais potente para favorecer a absorção do ferro contido nos alimentos. Não adianta comer alimentos ricos em ferro em uma refeição e os ricos em vitamina C em outra: o ferro e a vitamina C devem se encontrar no estômago no mesmo intervalo. Assim, se você não utiliza frutas nas refeições principais, utilize verduras e legumes (de preferência crus) em abundância para substituí-las.

Cerca de um terço da população mundial sofre de carência de ferro e essa porcentagem é a mesma para onívoros e vegetarianos. Não descuide.

A alimentação "X" é a melhor para o ser humano

Dizer o que é melhor para o ser humano é complicado. Há uma linha vegetariana que preconiza que toda a dieta seja crua (crudivorismo), ao passo que outra recomenda que os alimentos sejam todos cozidos (macrobiótica). São teorias opostas.

Independentemente da linha que você resolver adotar, lembre-se de que é importante não faltarem nutrientes. Esse foco deve ser sempre mantido na montagem do cardápio. Experimente as diferentes dietas vegetarianas e defina o que é melhor para você, seja em termos de saúde, seja em termos práticos, mas não deixe de ingerir todos os nutrientes de que precisa.

A dieta vegetariana é mais cara

Se lembrarmos que o substituto da carne é o feijão, veremos claramente que a dieta vegetariana tem custo menor. O que sai caro são os produtos vegetarianos industrializados e ultraprocessados. Se você optar por abastecer a sua casa em feiras livres e zonas cerealistas, o custo final será menor e mais baixo do que o de uma alimentação onívora.

Qualquer pessoa que busque uma alimentação saudável vai trocar o alimento refinado pelo integral e o convencional pelo orgânico, procurar substitutos para a margarina e separar petiscos mais saudáveis para os lanches. Como a tendência de consumo é essa, muitos fabricantes elevam os custos desses produtos, quando eles são industrializados. Observe que uma pessoa que come carne e passa a usar esses produtos terá uma dieta mais saudável e com custo mais elevado. Como os vegetarianos trocam a carne pelo feijão, o custo cai.

Se todos se tornassem vegetarianos, seria preciso acabar com as florestas do mundo para plantar alimentos

É justamente o contrário. Cerca de 63% de todas as áreas cultiváveis do planeta são destinadas à pecuária, que é uma forma totalmente ineficiente de produção de alimento para o ser humano. É fácil de entender o motivo. Cerca de 80% de toda a soja e de todo o milho plantados no mundo são destinados aos animais de corte, que precisam comer tudo isso para fornecer ao ser humano um pouco de carne. Isso significa que é necessário fornecer um monte de grãos para o animal gerar um pouco de carne. Há estudos que calculam que um boi precisa de 4 hectares de terra para produzir, depois de quatro ou cinco anos de vida, 210 quilos de carne. Se a mesma área fosse utilizada para cultivo de vegetais durante o mesmo período de tempo, teríamos 8 toneladas de feijão, 23 toneladas de trigo, 32 toneladas de soja, 44 toneladas de batata, 56 toneladas de tomate ou 22 toneladas de maçã. Se a produção de soja e grãos destinada ao gado dos Estados Unidos fosse revertida aos seres humanos, seria possível alimentar toda a população mundial cinco vezes.

Comer menos carne = sobrar mais alimentos = poluir menos = menos devastação ambiental.

Algas contêm vitamina B12

As algas mais ricas em B12 são a nori e a *Chlorella*, mas essa vitamina não é aproveitável pelos seres humanos. São o que chamamos de análogos da B12, ou formas corrinoides.

Levedura de cerveja, missô e tempeh contêm vitamina B12

Não de forma ativa. A vitamina B12 ativa está nas carnes, nos queijos, nos leites, nos ovos, nos alimentos enriquecidos e nos suplementos vitamínicos.

Cogumelos são ricos em proteína

Não é bem assim. Os cogumelos podem ser classificados no grupo dos legumes no que tange ao teor de carboidratos e proteínas. Eles não são fontes proteicas e não se comparam às leguminosas (feijões).

Vegetariano deve comer soja

Definitivamente não. Qualquer leguminosa substitui tranquilamente a soja e a carne quando falamos em proteína.

Quem tem problema de tireoide não pode comer soja

Alguns recomendam que os portadores de hipotireoidismo (que ocorre quando a atividade da glândula é baixa) não comam soja e seus derivados, nem alimentos como brócolis, couve e repolho, porque alguns componentes deles dificultam a formação do hormônio que a tireoide produz ou a absorção de iodo. Estudos com ratos demonstram que, quando há carência de iodo (nutriente fundamental para a formação de um hormônio da tireoide) e os animais ingerem esses alimentos, a função da glândula tireoide é deprimida.

No entanto, as pesquisas mostram que em seres humanos esse processo não ocorre. E, para melhorar nossa situação, no Brasil a lei determina que o iodo seja adicionado ao sal de cozinha. Preste atenção apenas à ingestão excessiva de sal, pois excesso de iodo aparentemente também prejudica a tireoide.

Assim, não retire do seu cardápio os alimentos que citei se você tem hipotireoidismo. Há ajustes mais importantes a serem feitos nessa situação.

Soja mata

Com frequência, voltam a circular na internet textos que atribuem à soja características tão nocivas quanto as de um raticida. Eles não têm o menor embasamento científico. Para esses autores (que não costumam ser da área de saúde), a soja causa problemas nos hormônios sexuais e no hormônio do crescimento, além de impotência, deficiências nutricionais e outros tantos transtornos seriíssimos.

Não é isso que as pesquisas científicas têm demonstrado. Em composições saudáveis, ou seja, incluída na quantidade adequada e no grupo alimentar a que pertence, ela não apenas não traz problemas, como os estudos mostram muitos benefícios. Algumas pessoas têm um pouco de dificuldade para digeri-la e às vezes apresentam gases. O uso de tofu pode neutralizar o problema.

Portanto, o consumo racional da soja, se não houver nenhuma contraindicação, não traz problema algum.

Rinite, sinusite e asma desaparecem assim que se retira o leite da dieta

Às vezes desaparecem, às vezes melhoram, às vezes não muda nada. Tudo vai depender do que desencadeia esses quadros. Uma pessoa que tenha, por exemplo, uma obstrução dos seios da face, pode ter uma sinusite que exija cirurgia. Quem tem alergia ao leite e seus derivados se beneficia bastante com sua eliminação, mas a rinite, a sinusite e a asma podem ser desencadeadas por outros fatores que não a proteína do leite.

Se você tem esses problemas, faça o teste e verifique como seu corpo reage. Deixe de consumir leite e seus derivados por pelo menos três semanas, tomando o cuidado de ingerir a quantidade diária de cálcio recomendada.

Os alimentos crus são benéficos por causa das enzimas digestivas

Ingerir alimentos crus traz inúmeros benefícios à saúde. No entanto, não são as enzimas (compostos que aceleram as reações químicas) digestivas dos alimentos crus que fazem a digestão daquilo que você acabou de comer.

Alimento germinado não precisa ser digerido

Não é verdade. As dietas totalmente prontas para a absorção são chamadas de elementares. Em algumas situações, utilizamos esses compostos em dietas infundidas por sonda diretamente no estômago ou no intestino (dieta enteral) de pacientes com problemas específicos. O processo de deixar os nutrientes totalmente livres para a absorção, sem necessidade de utilizar as enzimas digestivas, é industrial e não ocorre na germinação.

O processo de germinação de sementes, utilizado no crudivorismo, promove nos grãos alterações que aumentam a biodisponibilidade de alguns de seus nutrientes e facilitam sua digestão. Veja bem: a germinação pode facilitar a absorção dos nutrientes ingeridos, como o ferro e o zinco, mas não faz com que tudo o que foi ingerido seja digerido com mais facilidade.

Alimentos germinados são mais ricos

Isso não é verdade. Diversos conceitos do crudivorismo são distorcidos, sendo o aumento do valor nutricional causado pela germinação um deles. A germinação faz com que a semente caminhe para a formação da planta adulta. Nesse processo, suas características são modificadas – o teor dos seus nutrientes é alterado; na maioria da vezes, reduzido.

Isso não quer dizer que os alimentos germinados não sejam bons. Há compostos anticancerígenos, por exemplo, que são formados no processo de germinação. Os alimentos germinados podem ser tranquilamente incluídos no cardápio vegetariano, mas isso não significa que a alimentação será mais rica. Veja as tabelas comparativas, nas quais a avaliação foi feita com o grão cru comparado com o germinado e com o teor calórico de 100 kcal finais de cada um deles.

As pessoas sempre perguntam por que comparar alimentos crus. Isso se deve à maior precisão das medidas, pois se você usar 100 gramas de trigo, por exemplo, terá 13,68 gramas de proteína. Após cozido, ele vai receber água e vai, pelo menos, dobrar ou triplicar de tamanho. Se triplicou, você vai ter 300 gramas com as mesmas 13,68 gramas de proteína, ou seja, em 100 gramas do produto cozido, há 4,56 gramas de proteína (13,68 gramas dividido por 3). Assim, se a receita vai mais ou menos água, o teor final será diferente por conta do peso de água incorporado ao produto.

TRIGO	**Por 100 g**		**Por 100 kcal**	
FORMA	**Grão cru**	**Grão germinado**	**Grão cru**	**Grão germinado**
Quantidade (g)	100	100	29,5	50,5
Energia (kcal)	339	198	100	100
MACRONUTRIENTES				
Proteína (g)	13,68	7,49	4,0	3,8
Lipídio (g)	2,47	1,27	0,7	0,6
Carboidrato (g)	71,13	42,53	21,0	21,5
MINERAIS				
Cálcio (mg)	34	28	10,0	14,1
Ferro (mg)	3,52	2,14	1,0	1,1
Magnésio (mg)	144	82	42,5	41,4
Fósforo (mg)	508	200	149,9	101,0
Potássio (mg)	431	169	127,1	85,4
Sódio (mg)	2	16	0,6	8,1
Zinco (mg)	4,16	1,65	1,2	0,8
Cobre (mg)	0,553	0,261	0,2	0,1

Manganês (mg)	3,012	1,858	0,9	0,9
Selênio (mg)	89,4	42,5	26,4	21,5
VITAMINAS				
C (mg)	0	2,6	0,0	1,3
B1 (mg)	0,419	0,225	0,1	0,1
B2 (mg)	0,121	0,155	0,0	0,1
B3 (mg)	6,738	3,087	2,0	1,6
B5 (mg)	0,935	0,947	0,3	0,5
B6 (mg)	0,419	0,265	0,1	0,1
B9 (mg)	43	38	12,7	19,2
B12 (mg)	0	0	0,0	0,0
A (UI)	0	0	0,0	0,0
TIPOS DE GORDURA				
Saturada (g)	0,454	0,206	0,1	0,1
Monoinsaturada (g)	0,344	0,151	0,1	0,1
Poli-insaturada (g)	0,978	0,557	0,3	0,3
Ômega-6 (g)	0,93	0,531	0,3	0,3
Ômega-3 (g)	0,048	0,026	0,0	0,0

LENTILHA	**Por 100 g**		**Por 100 kcal**	
FORMA	**Grão cru**	**Grão germinado**	**Grão cru**	**Grão germinado**
Quantidade (g)	100	100	28,3	94,3
Energia (kcal)	353	106	100	100
MACRONUTRIENTES				
Proteína (g)	25,8	8,96	7,3	8,5
Lipídio (g)	1,06	0,55	0,3	0,5
Carboidrato (g)	60,08	22,14	17,0	20,9
MINERAIS				
Cálcio (mg)	56	25	15,9	23,6
Ferro (mg)	7,54	3,21	2,1	3,0
Magnésio (mg)	122	37	34,6	34,9
Fósforo (mg)	451	173	127,8	163,2

Potássio (mg)	955	322	270,5	303,8
Sódio (mg)	6	11	1,7	10,4
Zinco (mg)	4,78	1,51	1,4	1,4
Cobre (mg)	0,519	0,352	0,1	0,3
Manganês (mg)	1,33	0,506	0,4	0,5
Selênio (mg)	8,3	0,6	2,4	0,6
VITAMINAS				
C (mg)	4,4	16,5	1,2	15,6
B1 (mg)	0,873	0,228	0,2	0,2
B2 (mg)	0,211	0,128	0,1	0,1
B3 (mg)	2,605	1,128	0,7	1,1
B5 (mg)	2,14	0,578	0,6	0,5
B6 (mg)	0,54	0,19	0,2	0,2
B9 (mg)	479	100	135,7	94,3
B12 (mg)	0	0	0,0	0,0
A (UI)	39	45	11,0	42,5
TIPOS DE GORDURA				
Saturada (g)	0,156	0,057	0,0	0,1
Monoinsaturada (g)	0,189	0,104	0,1	0,1
Poli-insaturada (g)	0,516	0,219	0,1	0,2
Ômega-6 (g)	0,404	0,181	0,1	0,2
Ômega-3 (g)	0,109	0,038	0,0	0,0

ERVILHA	**Por 100 g**		**Por 100 kcal**	
FORMA	**Grão cru**	**Grão germinado**	**Grão cru**	**Grão germinado**
Quantidade (g)	100	100	29,3	80,6
Energia (kcal)	341	124	100	100
MACRONUTRIENTES				
Proteína (g)	24,55	8,8	7,2	7,1
Lipídio (g)	1,16	0,68	0,3	0,5
Carboidrato (g)	60,37	27,11	17,7	21,9

MINERAIS				
Cálcio (mg)	55	36	16,1	29,0
Ferro (mg)	4,43	2,26	1,3	1,8
Magnésio (mg)	115	56	33,7	45,2
Fósforo (mg)	366	165	107,3	133,1
Potássio (mg)	981	381	287,7	307,3
Sódio (mg)	15	20	4,4	16,1
Zinco (mg)	3,01	1,05	0,9	0,8
Cobre (mg)	0,866	0,272	0,3	0,2
Manganês (mg)	1,391	0,438	0,4	0,4
Selênio (mg)	1,6	0,6	0,5	0,5
VITAMINAS				
C (mg)	1,8	10,4	0,5	8,4
B1 (mg)	0,726	0,225	0,2	0,2
B2 (mg)	0,215	0,155	0,1	0,1
B3 (mg)	2,889	3,088	0,8	2,5
B5 (mg)	7,758	1,029	2,3	0,8
B6 (mg)	0,174	0,265	0,1	0,2
B9 (mg)	274	144	80,4	116,1
B12 (mg)	0	0	0,0	0,0
A (UI)	149	166	43,7	133,9
TIPOS DE GORDURA				
Saturada (g)	0,161	0,124	0,0	0,1
Monoinsaturada (g)	0,242	0,061	0,1	0,0
Poli-insaturada (g)	0,495	0,326	0,1	0,3
Ômega-6 (g)	0,411	0,265	0,1	0,2
Ômega-3 (g)	0,084	0,061	0,0	0,0

Alimentos germinados têm mil vezes mais valor nutricional

Se isso fosse verdade, crudívoros não teriam deficiências nutricionais. Atendo crudívoros que fazem a dieta como mandam os manuais e têm deficiências. Se o teor de alguns nutrientes aumentasse mil vezes, haveria intoxicação por diversos nutrientes, como o zinco, causando náuseas e dor de cabeça.

A alimentação crudívora cura várias doenças

Essa é uma afirmação vaga. Há diversas doenças crônicas e degenerativas que podem ser prevenidas e mais bem controladas com alimentação adequada – e mesmo crua. Diversas pessoas relatam a cura de doenças com a adoção da dieta à base de alimentos crus, mas o mesmo acontece com a macrobiótica, em que todos os alimentos são cozidos.

Tenho pacientes que são crudívoros há 40 anos e têm diabetes. Não se pode dizer que determinada dieta cura tudo. A doença é um conjunto de fatores, e seu tratamento às vezes requer estratégias muito mais complexas do que a modificação alimentar e de estilo de vida.

A clorofila se transforma em células vermelhas

Existe um mito difundido de que, ao se ingerir suco de clorofila (suco verde), ela se transforma em células vermelhas em poucos segundos no nosso sangue. Seria um excelente tratamento para a anemia, mas isso é impossível. Essa ideia errônea surgiu do fato de a clorofila apresentar uma estrutura química muito parecida com a das células vermelhas do nosso sangue, sendo que a diferença é que, enquanto a molécula de clorofila tem magnésio no centro, a das células vermelhas tem ferro. Parece simples: tomo o suco verde, recebo a clorofila, troco o magnésio dela por ferro e assim tenho uma nova célula vermelha. Mas isso não acontece.

A produção das células vermelhas do sangue é um processo muito mais complexo do que trocar magnésio por ferro. Não é possível partir a clorofila ao meio, colocar ferro no lugar do magnésio e depois "colar" essa clorofila, transformando-a em célula vermelha. O processo de produção das células vermelhas envolve a medula óssea, um hormônio da tireoide, os rins, ferro, vitamina B12, ácido fólico, entre outros nutrientes. São necessários vários dias para lançar no sangue uma célula vermelha quase pronta, que ainda demora mais dois dias para se tornar adulta.

O suco verde é interessante para alguns propósitos específicos, mas não para produzir células vermelhas. Inclusive, dependendo do tipo de folha usada no suco, como é o caso da couve, rica em cálcio e pobre em ferro, estaremos consumindo pouco ferro.

Preciso ter sangue alcalino

Para alguns, o sangue ácido é causa de muitas doenças e o sangue alcalino, a solução para a nossa saúde. Muita calma nessa hora.

O grau de acidez ou alcalinidade é medido pelo pH (potencial hidrogeniônico) em uma escala que vai até 14, sendo 7 o limite entre o que é ácido ou alcalino. Quanto mais abaixo de 7 estiver o pH, mais ácido. Quanto mais acima, mais alcalino. O pH do nosso sangue se mantém rigorosamente controlado entre 7,3 e 7,4. Portanto, é discretamente alcalino. Pequenas variações são incompatíveis com a vida humana. Portanto, não é verdade que o sangue fica ácido ou alcalino, embora possa haver maior ou menor esforço para mantê-lo nessa faixa. Uma dieta rica em proteínas, por exemplo, demanda mais cálcio para manter o pH nessa faixa.

Podemos escolher alimentos com um perfil melhor para facilitar o controle de pH no sangue, mas este não vai mudar. O que muda é a necessidade de nutrientes ou de compostos para manter o equilíbrio.

Quem tem dieta equilibrada não tem deficiências nutricionais

Essa frase parece coerente, mas não é. O estado nutricional de um indivíduo depende do que ele come, mas também de como absorve, transporta, estoca e perde nutrientes. Muitas mulheres têm falta de ferro por perda menstrual excessiva. Há pessoas com carência de vitamina D por falta de exposição solar, deficiência de vitamina B12 por redução de ácido no estômago etc. A alimentação equilibrada é importantíssima, mas o equilíbrio dos nutrientes no organismo não depende só dela.

Se não tenho sintomas, estou bem de nutrientes e sem deficiências

Essa ideia é comum, atraente, mas equivocada. Atendo vários pacientes que dizem estar completamente saudáveis, mas, quando começo a perguntar sobre sintomas específicos, as deficiências vão aparecendo e comprovamos nos exames bioquímicos. O maior engano ocorre quando a deficiência se implanta lentamente, no decorrer de anos, e a pessoa não percebe mais a sua piora. Não confie apenas na alimentação nem nos sintomas. Procure um profissional experiente para fazer uma boa avaliação.

Como os vegetarianos precisam de suplemento, a dieta não é adequada ao ser humano

Em diversos ciclos da vida, dependendo das condições orgânicas, os suplementos podem ser necessários. A suplementação pode ser necessária por causa da baixa ingestão de determinados alimentos ou nutrientes, por dificuldade de extrair o nutriente do alimento ou por problemas orgânicos que comprometam sua absorção.

Todas as descrições que farei a seguir servem para os onívoros. A Sociedade Brasileira de Pediatria recomenda que todas as crianças, dos 6 meses aos 2 anos de idade, recebam suplementação de ferro por causa do elevado índice de anemia nesse período. Estima-se que metade das crianças com menos de 5 anos e um terço das gestantes do Brasil tenham carência de ferro.

A suplementação com ácido fólico é feita em mulheres que desejam engravidar. Diversos obstetras prescrevem rotineiramente suplementos vitamínicos e minerais para gestantes. O primeiro e o último trimestres da gestação frequentemente exigem aporte extra de ferro, que é feito com medicamentos. A gestante que não dispõe de um estoque de ferro completo antes de engravidar tem um risco enorme de terminar a gestação com carência do mineral.

O Instituto de Medicina dos Estados Unidos recomenda que as pessoas com mais de 50 anos utilizem suplemento de vitamina B12, pois 30% delas apresentam carência dessa vitamina.

O iodo é adicionado ao sal que consumimos para que o mineral seja ingerido por pessoas que moram longe do mar. Sua falta causa sérios problemas mentais em crianças (cretinismo), além de dificuldade de produção de um hormônio da glândula tireoide.

A fortificação das farinhas com ferro e ácido fólico não visa atingir os vegetarianos, mas a população onívora. Ou seja, mesmo os onívoros estão sujeitos a diversas deficiências nutricionais. O que incomoda alguns profissionais de saúde é o fato de que, mesmo com um cardápio bem balanceado, a dieta vegetariana não supre todos os nutrientes (por causa da B12), mas esse incômodo vem do não entendimento do que é saúde.

A OMS define a saúde como "o estado de completo bem-estar físico, mental e social, e não apenas a ausência de doença". Alguém que olha para o animal e sente seu mundo interno (emocional, mental) abalado, não tem a saúde completa. Assim, tomar suplementos de vitamina B12 para garantir a saúde orgânica em prol dos ideais éticos (seja pelo próprio corpo, pelo meio ambiente ou pelos animais) é completamente justificado.

Vitamina B12 engorda

Carboidratos, proteínas, gorduras e álcool engordam. Já a deficiência de vitamina B12, em estágios mais avançados, pode causar redução do apetite. Nesse caso, a suplementação de B12 faz com que o apetite volte ao normal. Veja bem: a correção com o suplemento faz com que o apetite volte ao normal, e não que fique aumentado.

Vegetarianos têm anemia

Têm sim, mas na mesma proporção que onívoros. Diversos estudos avaliaram esse tema.

Pessoas anêmicas têm que comer carne e não podem se tornar vegetarianas

O tratamento da anemia por carência de ferro se faz com ferro medicamentoso, ingerido por meio de cápsulas ou comprimidos, geralmente. A alimentação apenas, mesmo que composta de muita carne, é incapaz de corrigir a deficiência de ferro. Numa dieta ideal, conseguimos ingerir até cerca de 30 mg de ferro. Para corrigir uma deficiência, podem ser necessárias de três a quatro vezes essa quantidade ao longo de anos. Uma fatia de carne vermelha de 100 gramas contém apenas 1,9 mg de ferro.

Vegetariano não pode doar sangue

Claro que pode. Diversos critérios são avaliados para que um doador seja aceito, como peso, idade e ausência de doenças transmissíveis, mas nada disso está relacionado a ser vegetariano ou não. No momento da doação, avalia-se se o indivíduo tem anemia ou não. Como vimos, vegetarianos e onívoros têm a mesma prevalência de anemia.

Um ponto importante a ser conversado sobre doação de sangue é a conveniência do momento. O exame de triagem não avalia o estoque de ferro. O doador pode estar apto porque não tem anemia, mas ainda assim seu estoque de ferro pode estar bastante comprometido (veja os sintomas de deficiência de ferro no capítulo 11, "Estou com deficiência de nutrientes. E agora?"). A doação de sangue nessa situação é extremamente prejudicial e leva o indivíduo à anemia.

Quem está em tratamento para corrigir a anemia ou repor o estoque de ferro não deve doar sangue. Aos que doam regularmente eu recomendo uma avaliação mais detalhada com um médico.

Falta proteína na dieta vegetariana

É preciso ter uma alimentação muito, mas muito ruim mesmo para ter deficiência de proteína. Se você tiver uma dieta equilibrada entre todos os grupos alimentares, basta ingerir a quantidade diária de calorias recomendada para seu caso para não ter carência proteica.

Capítulo 10

QUE SAIA JUSTA! E AGORA?

Todos os vegetarianos passam por momentos desconcertantes. Somos minoria e, portanto, nos sentiremos minoria muitas vezes e desrespeitados algumas outras. Em nossa cultura, as reuniões sociais estão associadas à comilança. Às vezes, parece que é até mais importante que você coma o que foi feito do que sua presença.

Os lactovegetarianos e os ovolactovegetarianos costumam ter menos dificuldades em eventos sociais, mas os vegetarianos estritos passam por muitas saias justas. Mas certas atitudes podem minimizar os problemas nas interações sociais. Confira a seguir.

"No refeitório da empresa, só dá para comer salada, arroz e batata"

Isso é bastante comum. Muitos cozinheiros colocam bacon ou caldo de carne no feijão, e os vegetarianos ficam apenas com a opção de comer salada, arroz branco e batata. O feijão, que é parte importante da refeição, fica de fora. Daí a pensarem que os vegetarianos não comem nada... Mas colocam carne em tudo!

Sugiro que você faça o que chamo de mistura proteica. É uma farofa que criei e que pode ser levada no bolso ou na bolsa. Coloque no liquidificador 2 colheres (sopa) de sementes de linhaça, 5 colheres (sopa) de sementes de gergelim tostadas e 4 colheres (sopa) de proteína de soja texturizada fina. Sem água, bata tudo no liquidificador. Adicione condimentos como orégano, curry, páprica e sal. Essa mistura proteica pode ser consumida no lugar do feijão. O que deixa a mistura mais saborosa é o gergelim. As proporções de cada ingrediente podem ser alteradas.

A proteína texturizada de soja é muito criticada, mas ela não é a assassina que descrevem por aí. É claro que é melhor utilizar o feijão do que a proteína de soja, mas, na falta dele, essa mistura salva a refeição. Ou se não houver nada mais proteico no almoço, aumente a ingestão de leguminosas no jantar.

Em reuniões de negócios, procure escolher lugares com opções vegetarianas

Há pessoas que não podem evitar os almoços de negócios. Para muitos, a churrascaria é a primeira opção. Há vegetarianos que não se importam de ir até uma churrascaria, pois geralmente a mesa tem diversas opções. Outros, entretanto, não gostam de ver animais mortos passeando em espetos. Sugiro encontrar restaurantes que tenham opções vegetarianas, o que é mais comum em cidades grandes, e verificar sempre se o ambiente escolhido é adequado ao encontro.

No restaurante, pergunte se o prato tem carne

Quando os vegetarianos vão a um restaurante e perguntam se há caldo de carne em alguma preparação ou outro derivado animal no prato escolhido, é comum o garçom responder o que você quer ouvir ou simplesmente não saber responder com certeza.

Não sou a favor de mentiras, mas a experiência mostra que a maneira mais clara e direta de descobrir é dizer ao garçom: "Tenho alergia a carne, molho de carne e tudo o que contenha carne. Se eu comer algum desses ingredientes, morro aqui mesmo. Você poderia verificar com o cozinheiro, por gentileza?" Experimente. Essa não falha.

Meu parceiro/Minha parceira não é vegetariano(a)

Essa é uma boa oportunidade de trabalhar sua habilidade de fazer acordos. Alguns vegetarianos não veem problema nenhum em encontrar carne na sua geladeira, mas para outros isso é a morte. Entre os casais que atendo, quando um deles não é vegetariano, o consumo da carne costuma ser feito apenas fora de casa. Essa decisão deve ser tomada em conjunto.

O problema maior que percebo quando um dos dois se torna vegetariano é que isso representa uma mudança na forma de olhar para o mundo. Quando isso não é dividido ou harmonizado entre o casal, é inevitável surgirem conflitos importantes.

Sou vegetariana e engravidei. E agora?

Sem problemas. Os ajustes para a gestante vegetariana são muito claros. Você deve buscar a orientação de um profissional. A vitamina B12 é tão importante quanto o ácido fólico para a gestante, pois sem a B12, o ácido fólico não consegue ficar dentro da célula e acaba não cumprindo a sua ação. É preciso suplementá-la desde o início da gestação e, se possível, antes. O ferro também é fundamental, e, com ou sem carne na dieta, é preciso suplementá-lo, pois a gestação exaure os estoques de ferro materno, podendo levar ao parto prematuro e à depressão pós-parto.

A maior pressão costuma vir da família, que, quando não conscientizada da segurança de uma dieta vegetariana bem equilibrada na gestação, tende a insistir para a gestante comer carne. A sensação de estar fazendo algo errado e colocando em risco a vida do bebê pode fazer com que a mulher coma carne às vezes contra a vontade. Informar os parentes de que está sendo acompanhada por um profissional habilitado pode acalmá-los um pouco, apesar de nem sempre resolver completamente o descontentamento do grupo. Se você está segura e bem orientada, não há problemas. As intromissões familiares devem ter limites.

Meu companheiro/Minha companheira quer que nosso filho seja vegetariano

Quando o casal é vegetariano, a opção de ter um filho vegetariano desde o nascimento encontra menos impasses. O que pode causar conflitos é quando apenas um dos pais é vegetariano. Inevitavelmente, será necessário conversar para que cheguem a um acordo. A escolha de um profissional de saúde que saiba orientar a alimentação de uma criança vegetariana é fundamental. A alimentação dos pais também deve ser trabalhada, pois, após 1 ano de idade, a dieta da criança tende a ser a mesma dos pais. As pressões familiares costumam ser grandes e é importante que o casal entre em acordo e se sinta seguro com o profissional que escolheram para acompanhar o bebê.

Quando for convidado para uma refeição na casa de alguém, avise que é vegetariano

Há convites sobre os quais temos liberdade para conversar. Nessas ocasiões, não pense duas vezes antes de dizer que é vegetariano. Se não tem muita intimidade com a pessoa que lhe fez o convite, dê um jeito qualquer, mas não deixe de dizer, pois chegar à casa do anfitrião e recusar tudo o que lhe for oferecido pode causar um constrangimento irremediável.

Proponha-se a levar algum prato para o encontro, mas faça uma receita que já tenha experimentado

Quando existe a possibilidade de se levar algum prato ou prepará-lo no local, pode haver uma confraternização bem interessante. Mas, por favor, prepare receitas com boa aceitação. Não leve pratos que não funcionam, senão vai perpetuar a ideia de que a alimentação vegetariana não é gostosa. Conheço pessoas que fazem pratos tão elaborados e são tão hábeis na sugestão de contribuir com a comida que ninguém percebe que o prato é vegetariano.

Se levar um prato para a festa, que seja grande. Se for pouco, sirva-se primeiro

Os vegetarianos que já comprovaram que é interessante levar os pratos também perceberam que, depois de olhado com muita curiosidade, esse prato é o primeiro a acabar. Se você demorar para se servir, haverá um enorme risco de ficar sem nada para comer.

Churrasco com a turma

Alguns vegetarianos não aceitam o convite de modo algum. Outros às vezes vão. As piadas são inevitáveis. Esse é um bom momento para desenvolver seu jogo de cintura. Se a paciência acabou, tente deixar claro que o assunto do momento pode ser outro que não o seu modo de vida. Grelhando alguns legumes, você poderá até conquistar adeptos. Leve batata, batata-doce, abobrinha e berinjela já cozidas e coloque-as na grelha. Elas vão ficar crocantes por fora e poderão ser compartilhadas com os outros. Leve também arroz integral cozido e uma farofa vegetariana.

Se você não é vegetariano, vai receber um no seu churrasco e gostou da ideia dos legumes, lembre-se apenas de não colocá-los no andar de baixo da grelha, pois se a carne pingar sobre os legumes seu amigo não os comerá.

"Faço trabalho voluntário com o vegetarianismo, mas não tenho como me sustentar"

Conheço vários vegetarianos que trabalham voluntariamente por amor à causa. É difícil indicar um caminho, pois são muitas as variáveis. Ter um emprego fixo e conseguir tempo para o trabalho voluntário é uma opção. Nem todo mundo trabalha com o que gosta, mas sem dinheiro não dá para sobreviver. Avalie a possibilidade de ser dono de seu próprio negócio ou de conseguir um emprego remunerado ligado aos seus ideais.

Se está num período de escolha profissional, avalie as possibilidades de cada profissão e sua remuneração. São fatores importantes para a independência futura. Diversas profissões propiciam a oportunidade de trabalhar com o vegetarianismo, como medicina, nutrição, direito, jornalismo e psicologia.

Capítulo 11

ESTOU COM DEFICIÊNCIA DE NUTRIENTES. E AGORA?

É muito comum as pessoas aderirem ao vegetarianismo sem antes passar por uma avaliação médica ou nutricional. Em geral elas vão ao médico depois de iniciar a nova dieta. E então, diagnosticado um problema, começa o terrorismo: "Viu o que a dieta vegetariana fez com você?"

Diante da descoberta de qualquer deficiência, mantenha a calma. Praticamente todo mundo tem deficiências! Inclusive quem come carne, e muita carne. Se os exames tivessem sido feitos na época em que você também comia carne, é provável que teriam acusado problemas também. Há vários carnívoros inveterados com carência de ferro e vitamina B12, por exemplo. Basta dosar para ver.

Acredite, essa é minha experiência diária de consultório. É raro encontrar uma pessoa sem nenhuma alteração, seja por falta ou por excesso. Toda e qualquer deficiência encontrada no vegetariano pode e deve ser corrigida sem o uso da carne. Inclusive, o consumo da carne é incapaz de reverter essas deficiências. Cada nutriente tem uma fisiologia específica. Há deficiências que podem ser corrigidas com a alimentação e outras que não podem.

O objetivo deste capítulo é oferecer noções de suplementação para quando ela realmente for necessária. Lembre-se de que a avaliação física e os exames laboratoriais devem ser realizados por profissionais habilitados, pois os exames conversam entre si e cada um tem uma história diferente para contar.

"E se eu comer carne duas ou três vezes por semana?"

Não vai adiantar nada. Memorize isto: muitas deficiências só são completamente corrigidas com medicamentos ou suplementos. Vou repetir, para que fique bem claro: não adianta comer carne todos os dias para corrigir as deficiências de ferro, zinco ou vitamina B12.

Comer carne poucas vezes por semana é um artifício utilizado por aqueles que ainda não se tornaram vegetarianos por medo de deficiências nutricionais. Se esse é seu caso, saiba que a quantidade de ferro, zinco e vitamina B12 obtida pela carne dessa forma não fará a menor diferença no contexto geral da sua alimentação, se ela estiver adequada.

"E como era no tempo da minha avó, quando não existiam suplementos?"

As deficiências sempre existiram, e as pessoas sempre sofreram com elas. Você vai ler logo a seguir o tópico que escrevi sobre o ferro. Há pessoas que vivem décadas com os sintomas que descrevi e acham que é da idade, é genético, é assim mesmo. Ou seja, a pessoa não vive com a plenitude que poderia viver.

Algumas pessoas relacionam a vida natural e saudável com a ausência de doenças e de deficiências nutricionais, mas isso não existe. Adote a alimentação mais natural e balanceada que puder, mas não tenha tanta certeza de que estará imune a tudo. O conhecimento médico serve para nos ajudar, desde que seja utilizado com sabedoria.

Quando a suplementação é necessária?

Os suplementos de vitaminas e minerais – na forma de cápsulas, comprimidos, pós ou outras formulações – têm indicações específicas. Eu sempre sugiro uma avaliação médica/nutricional antes de sua utilização, exceto pela vitamina B12, que pode ser tomada a partir do momento em que o indivíduo se torna vegetariano.

Como regra, quando usamos suplementos demais é porque não sabemos do que estamos precisando. A avaliação médica e nutricional permite que se vá direto ao ponto. Não devemos utilizar medicamentos demais, nem suplementos demais. Na minha opinião, se você recebeu uma prescrição de nutrientes de A a zinco, há algum equívoco na avaliação de seus sinais, sintomas e exames.

O uso de suplementos por conta própria ou com a orientação de um profissional não habilitado é inconveniente, pois há nutrientes que alteram uns aos outros e isso deve ser sempre avaliado antes da prescrição. Vou discorrer sobre os principais.

Ferro

É a deficiência nutricional mais comum no mundo, e com frequência seu diagnóstico passa despercebido. Pode haver deficiência de ferro ainda que o exame aponte valores na faixa de normalidade. É preciso experiência e conhecimento para o diagnóstico de sua deficiência.

Gestantes – onívoras ou vegetarianas – devem sempre receber ferro, salvo poucas contraindicações, pois a gestação acaba com os estoques maternos. Crianças onívoras ou vegetarianas, dos 6 meses aos 2 anos, salvo algumas exceções, devem receber suplemento de ferro.

Há alterações genéticas que provocam anemia mesmo com estoque de ferro elevado. Há diversas situações clínicas sobre as quais o médico deve ponderar antes de prescrever um suplemento de ferro. Há inclusive situações em que há deficiência de ferro, mas é necessário aguardar antes de iniciar sua reposição.

Não esqueça: deficiência de ferro não se corrige com alimentação, nem mesmo comendo muita carne. Deficiência de ferro se corrige com ferro medicamentoso, e essa correção pode demorar anos. É muito comum encontrar pessoas que todo ano fazem tratamento por dois ou três meses e nunca ficam boas.

A suplementação de ferro deve ser feita sob supervisão médica ou nutricional, pois seu excesso causa muitos danos ao organismo.

Você tem deficiência de ferro?

Uma resposta positiva a qualquer das perguntas abaixo pode indicar deficiência de ferro. Como os sintomas podem também ser decorrentes de outras doenças ou problemas, o médico precisa fazer uma avaliação antes de prescrever o suplemento de ferro.

1. Sente dificuldade para sair da cama mesmo após uma boa noite de sono?
2. Suas unhas lascam, quebram, estão amolecidas ou com deformações?
3. Apresenta queda de cabelos acentuada?
4. Apresenta agonia nas pernas ou pernas inquietas?
5. Os problemas que enfrenta parecem sempre enormes e você faz corpo mole para resolvê-los?
6. Com o passar dos anos, você sente que seu rendimento não é mais o mesmo?
7. Sente muito cansaço ao acordar, à tarde ou à noite, mesmo quando dorme o número de horas de que precisa para descansar?
8. Sente tristeza sem causa aparente?
9. Sente dificuldade na prática de atividade física?
10. Sente que seu rendimento na prática de atividade física é baixo?
11. Fica doente (resfriado, com dor de garganta) com facilidade?
12. Sente tontura ou enxerga pontos luminosos ao se levantar rápido?
13. Para mulheres: nos períodos de TPM (tensão pré-menstrual), percebe que tem apresentado cada vez mais instabilidade emocional?

Estão em risco: mulheres com ciclos menstruais curtos (com menos de 28 dias) ou com fluxo total prolongado (mais de cinco dias) ou com sangramento em abundância (mais de dois dias).

Cálcio

O planejamento nutricional costuma fornecer uma quantidade de cálcio mais do que suficiente para se manter um bom estado nutricional do mineral, mesmo sem o leite de vaca e os laticínios. Há situações específicas nas quais os suplementos podem e devem ser prescritos, mas nesse caso também seria interessante uma avaliação do metabolismo ósseo e do cálcio para avaliar se há necessidade de mais do que o fornecido pela alimentação. Para a melhor absorção de cálcio, utiliza-se a vitamina D.

Vitamina B12

A vitamina B12 é fundamental para a manutenção do sistema nervoso e das células do sangue. Ao longo do tempo, sua deficiência pode causar anemia e alterações neurológicas. A pessoa com carência de vitamina B12 pode apresentar cansaço, falta de apetite, ter dores generalizadas e, principalmente, formigamento nas pernas, entre outros sintomas. As manifestações mais precoces da deficiência são alterações referentes à memória, baixa concentração e atenção.

A vitamina B12 não é tóxica mesmo em doses elevadas. Sugiro utilizá-la desde o momento em que se tornar vegetariano, independentemente do fato de comer ou não os derivados animais ou de ter em mãos um exame laboratorial. Tome um comprimido de no mínimo 250 mcg por dia ou um comprimido de 5.000 mcg uma vez por semana, se você é adulto. Essas doses são de manutenção, ou seja, para quando há um bom nível de B12 no sangue. Só é possível ter certeza com um exame de sangue. Essa dose não costuma corrigir a deficiência.

Quando descobrem que o intestino consegue absorver apenas de 1 a 1,5 mcg de vitamina B12 a cada quatro ou seis horas, os vegetarianos se perguntam por que tomar 5.000 mcg uma vez por semana (em dose única). A vitamina ingerida não vai se perder? Veja bem, biologia e matemática são coisas diferentes.

Quando a B12 é proveniente da alimentação ou de suplementos de baixa dosagem, a regra de absorção de 1 a 1,5 mcg a cada quatro ou seis horas é válida, pois os "seguranças do intestino" (os receptores intestinais) conseguem limitar sua entrada. No entanto, quando uma megadose é administrada, ocorre um "arrastão de B12", que entra no intestino passando por cima dos "seguranças". Tecnicamente, diz-se que a absorção de B12, que segue o processo de pinocitose, passa a ser feita por difusão.

Assim, apenas para ilustrar, a B12 é como uma pessoa que quer entrar em uma festa (o organismo). Para isso, ela chega na porta em que está o segurança (o receptor intestinal), que a deixa entrar conforme suas possibilidades. No entanto, quando há muitas pessoas (uma multidão) para entrar na festa, elas começam a pular o muro.

Mesmo indivíduos com problemas de absorção podem corrigir a deficiência de vitamina B12 por via oral, desde que o médico saiba como conduzir o tratamento. A literatura científica recomenda também a aplicação de uma injeção anual ou a cada seis meses para manutenção. Eu mesmo recomendei e utilizei essa injeção muitas vezes, mas, na avaliação rotineira de pacientes vegetarianos ou não, constatei que megadoses por via oral, por tempo prolongado, são mais efetivas do que a via injetável, tanto para a correção da deficiência quanto para manutenção.

Com a suplementação de B12 em doses elevadas, é importante monitorar o estado nutricional em relação ao ferro. Gestantes e crianças sempre devem fazer suplementação de vitamina B12, mesmo com exames laboratoriais normais.

Zinco

Dores de garganta e resfriados frequentes são as principais manifestações que tenho encontrado em adultos com deficiência de zinco.

A suplementação desse mineral não deve ser feita de forma indiscriminada. Assim como acontece com o ferro, a correção do zinco por suplementos demora vários meses. Não tome doses elevadas de zinco se você não tiver deficiência.

Uma das razões pelas quais contraindico o uso de suplementação de zinco é poque ele pode atrapalhar a absorção de ferro. Além disso, quando falta ferro no organismo, o zinco do sangue é diminuído, pois esse mineral entra na célula para tentar fazer o papel do ferro. Com isso, a dosagem no sangue fica mais baixa, mas não significa uma falta; ao fazer a reposição do ferro, o zinco volta a aparecer no sangue.

Vitamina D

A vitamina D é formada no contato dos raios solares com a pele. Outras fontes são o óleo de peixe e alguns cogumelos (em quantidades pequenas). Sua deficiência é uma das mais comuns entre os habitantes de cidades grandes, e seus níveis podem ser dosados em exames laboratoriais. Costumo dizer que essa deficiência é comum porque os moradores dos grandes centros recebem um "kit antivitamina D", composto por cinco elementos:

- protetor solar com FPS acima de 8;
- película nos vidros do carro;
- horário comercial que os mantêm confinados e longe do sol;
- ar-condicionado, para ficarem com janelas fechadas, muitas vezes com cortinas também fechadas;
- poluição.

Em muitos casos, expor-se ao sol de 10 a 15 minutos três vezes por semana não é suficiente para manter os níveis adequados da vitamina. Para corrigir a deficiência de vitamina D sem suplementos, seria necessário levar a pessoa para a praia e deixá-la o dia inteiro, com roupa de banho e sem protetor solar, de 15 a 30 dias. Seria um desastre para a pele. Diante dos riscos da exposição solar, a recomendação da maioria dos dermatologistas é a restrição ao contato com o sol.

A carência de vitamina D afeta o metabolismo ósseo. Por isso, os suplementos de vitamina D devem ser considerados, mas sob supervisão médica, pois ela é tóxica quando tomada em excesso. Essa toxicidade se faz pelo aumento da absorção de cálcio. Assim, se a dieta tem muito cálcio, essa quantidade maior absorvida terá que ser excretada pelos rins, ocasionando aumento do risco de cálculo renal ou calcificação renal.

Vale lembrar que a vitamina D3 pode ser de origem animal ou vegetal. A D3 animal vem da lanolina, a gordura presente na lã de carneiro que, após receber irradiação de raios ultravioleta, se transforma em vitamina D. A D3 vegetal é proveniente de líquen.

E há a D2, que é sempre vegetal, oriunda de cogumelos. Para conseguir uma quantidade suficiente a partir dos cogumelos, seria necessário uma quantidade impossível de ingestão. A vitamina D2 é cerca de 30% menos potente que a D3.

Ômega-3

A carência de ômega-3 se resolve tranquilamente com alimentação. Utilize diariamente uma colher (chá) de óleo de linhaça ou chia prensado a frio ou duas colheres (sopa) de sementes de linhaça ou chia por dia. A suplementação em cápsulas pode ser feita por quem não tolera seu sabor, que lembra o do peixe.

Outra fonte interessante são as nozes. Observe que não estou falando do grupo das oleaginosas, mas as nozes mesmo, aquela que tem formato que lembra o cérebro.

Proteína

Os casos que realmente necessitam de suplementação proteica são raríssimos. Se alguém lhe recomendou um suplemento proteico só porque você é vegetariano ou porque começou a fazer atividade física, desconfie de que há algo errado.

Havendo necessidade de aumentar o consumo proteico, temos as leguminosas como principal escolha e há *shakes* de proteína vegano, caso seja mais fácil.

Capítulo 12

VOU AO MÉDICO. E AGORA?

Muitos vegetarianos se queixam da incompreensão e das recriminações dos profissionais de saúde. Se o profissional que o acompanha não respeita sua decisão, você pode encontrar outros mais atualizados sobre o assunto.

É recomendável fazer avaliações periódicas, seja qual for a dieta adotada. A avaliação médica é importante, mas a avaliação nutricional não deve estar dissociada dela. Sugiro sempre a avaliação conjunta, ou seja, médica e nutricional. Se seu médico não entende de vegetarianismo, consulte também um profissional especializado.

Como o vegetarianismo é um tema muito específico, tecnicamente falando, escrevi uma espécie de carta de apresentação para você encaminhar ao seu médico ou nutricionista. As orientações ali contidas não subestimam o conhecimento do profissional, mas, já que o vegetarianismo não costuma ser estudado nos cursos de graduação, uma ajuda sempre é bem-vinda.

Há diversos exames bastante específicos para avaliar o estado nutricional de um indivíduo. Muitos podem não fazer parte da rotina do seu médico, pois fogem do escopo da atuação dele. É importante descobrir como o organismo está funcionando, como está a alimentação e como anda a interação dos alimentos com o organismo. Por exemplo, ingerir a quantidade adequada de ferro por si só não garante níveis de ferro apropriados no organismo. A interação entre o que foi ingerido, absorvido, transportado, utilizado, estocado e perdido está sujeita a diversas interferências, e a avaliação médica deve levar em conta todos os fatores que podem alterar cada etapa.

Também é importante ressaltar que a interpretação dos exames laboratoriais não pode ser feita apenas lendo os valores de normalidade que acompanham o resultado. Para o entendimento adequado da situação, é importante conhecer cada composto avaliado, sua fisiologia, sua interação com outros exames e funções corporais. Sem essa avaliação, certamente a interpretação estará sujeita a erros.

Exemplificando: não basta olhar o hemograma para verificar se o nível de ferro está bom. Mesmo com todos os resultados dentro dos limites considerados normais, pode existir carência de ferro. O hemograma mostra se há anemia, mas nem sempre mostra como estão os estoques de ferro. Avaliar como está o estoque de ferro sem saber como anda a inflamação no organismo pode induzir a resultados errados. Portanto, a avaliação do conjunto deve ser realizada por um profissional de saúde habilitado. Todos os dias recebo pacientes preocupados com os resultados dos exames que solicitei, pois alguns apresentam valores mais elevados do que a referência e outros, valores mais baixos. Isso pode ou não ser normal e saudável. Apenas a avaliação de um profissional habilitado pode esclarecer o que é adequado ou não.

Os exames laboratoriais de vegetarianos, especialmente após um ano de dieta vegetariana, podem apresentar resultados diferentes do esperado em pessoas onívoras. Vale lembrar que a faixa de normalidade dos exames foi determinada pela avaliação de onívoros e para detectar doenças. As modificações proporcionadas por uma dieta vegetariana podem alterar esses valores.

Encontre um profissional com o qual se sinta seguro. Sugiro, respeitosamente, que entregue a ele o texto a seguir.

Carta para médicos e nutricionistas que atendem vegetarianos

Prezado colega,

A decisão de se tornar vegetariano envolve diversos princípios legítimos (religiosos, filosóficos, éticos, ambientais e de saúde) que nós, como profissionais de saúde, temos o dever de respeitar.

Em decorrência da desinformação sobre o que é o vegetarianismo, inúmeros erros conceituais e de acompanhamento podem ser cometidos no atendimento de pacientes vegetarianos, mas há inúmeros artigos científicos indexados sobre o assunto, e eles mostram que qualquer dieta vegetariana pode ser conduzida com segurança. Minha intenção é esclarecer alguns pontos importantes que podem ser úteis no acompanhamento dos pacientes vegetarianos que chegam até você.

Exames laboratoriais

Os exames de pacientes vegetarianos podem apresentar algumas alterações, especialmente depois de um ano de dieta vegetariana. As principais alterações fisiológicas são:

- Leucograma com menor contagem de leucócitos e nenhum bastonete. Essa leucopenia não tem valor clínico quando o número absoluto de neutrófilos e linfócitos estiver dentro dos limites que não caracterizam deficiência imunológica. Sob estímulo de antígenos, a atividade mitogênica e fagocítica se mostra preservada. Essa manifestação é decorrente de menor estado adrenérgico.
- Número de plaquetas dentro do valor de contagem normal, mas próximo do limite inferior, o que sugere menor estado inflamatório intravascular.
- Ureia dentro dos limites de normalidade, mas com valor menor do que o de onívoros. Isso reflete menor proteólise ou menor ingestão proteica.
- Proteínas totais abaixo do valor encontrado em onívoros e às vezes no limite inferior ou abaixo dele. Albumina sérica mais elevada do que em onívoros, algumas vezes até acima do limite de normalidade. Globulina em níveis mais baixos do que em onívoros, mas dentro do limite de normalidade. É preciso lembrar que a avaliação proteica é feita pela albumina. A globulina reflete o estado inflamatório (que tende a ser menor em vegetarianos). Como as proteínas totais são a soma da albumina com a globulina, elas podem estar em limites inferiores, mas não refletem o estado proteico, pois esse deve ser visto pela albumina. Vale também lembrar que a albumina é um antioxidante intersticial e que,

em situações em que há necessidade da sua ação, ela é deslocada do intravascular para o interstício.

- Nível de ferritina mais baixo do que em onívoros, mas dentro da normalidade. Isso pode ser o reflexo da menor atividade inflamatória. Avalie com cuidado, diferencie a inflamação da deficiência. Procure deixar sempre a ferritina (de onívoros ou de vegetarianos) em valores normais, porém acima de 50 ng/ml, no mínimo. Ferritina abaixo de 30 ng/ml é sempre deficiente, mesmo que a faixa de referência do laboratório aponte para um valor de corte mínimo menor. Na exclusão da elevação da ferritina por inflamação, sempre deve ser solicitado, em conjunto com a ferritina, a dosagem da PCR-US e das enzimas hepáticas. Qualquer um desses marcadores, quando se elevam (mesmo ainda dentro de faixas de normalidade), elevam os níveis de ferritina.
- Nível de lipoproteínas mais baixo do que em onívoros, com boa relação dos índices de Castelli 1 e 2.

Vitamina B12

A vitamina B12 é o ponto de maior importância na avaliação de vegetarianos, pois ela só é encontrada em carnes, queijos, ovos e leites. A maioria dos vegetarianos que apresentam baixos níveis de B12 está assintomática ou oligossintomática. Na presença de sintomatologia, as queixas neurológicas são as mais comuns, principalmente dificuldades de concentração, atenção e formigamento nos membros inferiores (que fica muito evidente quando a pessoa fica alguns minutos sentada com as pernas cruzadas). Sua deficiência surge em quatro estágios, sendo a detecção laboratorial possível, no nosso meio, nos estágios III e IV. As principais características laboratoriais da falta de B12 são:

- Vitamina B12 reduzida, assim como holotranscobalamina, neutrófilos, plaquetas e reticulócitos.
- Homocisteína, ácido metilmalônico e VCM elevados.

A avaliação da B12 não deve ser limitada ao hemograma, pois suas alterações (queda de hemoglobina, aumento do VCM, neutropenia e plaquetopenia) são tardias. De forma prática, solicite sempre a dosagem da vitamina B12 sérica. Ela deve permanecer sempre acima de 490 pg/ml quando a referência estiver entre 200 e 900 pg/ml. Se a faixa de normalidade do laboratório for outra, como de 150 a 500 pg/ml, ela deve permanecer acima do valor médio (325 pg/ml). A homocisteína deve permanecer sempre abaixo de 10 mcmol/litro, mesmo que o valor de referência seja abaixo de 15 mcmol/litro.

Na prática, usaremos sempre a dosagem de vitamina B12 sérica, pois os demais marcadores (holotranscobalamina, ácido metilmalônico e homocisteína) nem são disponíveis, especialmente na rede pública de saúde.

Correção da deficiência de B12

Há diversas possibilidades terapêuticas de correção da deficiência de vitamina B12, sendo a forma injetável a mais antiga e utilizada. No entanto, com o acompanhamento adequado, a via oral também pode ser utilizada em megadoses, mesmo quando há acloridria, deficiência de produção de Fator Intrínseco, e cirurgias em que o estômago foi removido, pois, em doses altas, sua absorção é por difusão e não via receptor.

A recomendação clássica é a dose de 1.000 mcg diariamente por uma semana, por via intramuscular, e, nas semanas seguintes, uma aplicação intramuscular semanal de 1.000 mcg até a normalização da hemoglobina (aproximadamente sete semanas). Para manutenção, uma aplicação por mês na mesma dose. A resposta ao tratamento pode ser confirmada por reticulocitose entre o quinto e o sétimo dia do tratamento.

Embora essa seja a recomendação clássica, há estudos que demonstram que a suplementação diária de pelo menos 1.000 mcg por via oral é tão eficaz quanto o tratamento por via injetável. Na minha experiência clínica, tenho utilizado raramente a via injetável, reservando-a para os casos nos quais os sintomas neurológicos são intensos. Nas demais situações, tenho preferido a via oral, diariamente, por tempo prolongado (vários meses), e conseguido resultados aparentemente melhores e mais duradouros. Doses diárias de 2.000 mcg podem ser necessárias para a correção adequada. Essa dose oral não precisa ser sublingual.

É fundamental a avaliação da eficácia do tratamento por meio de exames laboratoriais durante (se necessário) e após (sempre) o tratamento. Preste atenção aos níveis de ferro e ácido fólico durante a suplementação de vitamina B12, pois eles tendem a ser reduzidos. Suplemente ferro e ácido fólico se necessário.

Atenção para as mulheres que pretendem engravidar. A B12 é tão importante na formação do tubo neural quanto o ácido fólico. Como as duas vitaminas têm ação similar na formação do tubo neural, concentre a avaliação e a suplementação muito mais na B12 do que no ácido fólico, pois este último costuma ser sempre suplementado pelos obstetras.

A recomendação clássica para a manutenção dos níveis de B12 é de 5.000 a 10.000 mcg por via oral uma vez por semana ou pelo menos 250 a 500 mcg por via oral diariamente. No entanto, essa dose pode ser maior ou menor. Não há toxicidade por excesso de B12, mas algumas pessoas podem ter mais reações acneiformes.

Correção da deficiência de ferro

Não é possível corrigir a carência de ferro com alimentação, nem mesmo com a ingestão de carne, cujo corte mais rico tem cerca de 1,9 mg em cada 100 gramas.

Na suplementação, prefira sempre o ferro quelado. A dose preconizada é de 2 a 5 mcg de ferro elementar por quilo ao dia, dividida em duas ou três vezes por dia. No entanto, essa dose pode causar intolerância gástrica e intestinal, além de aumentar a resposta inflamatória. O uso de doses menores por maior tempo tem se mostrado mais prudente. O tempo para correção total é variável, podendo demorar mais de um ano em alguns casos.

Costumo usar doses que vão de 30 a 60 mg por dia. Alguns casos podem necessitar de doses maiores ou menores.

Lembre-se de que a correção é bastante lenta e, para elevar consideravelmente os níveis de ferritina, o uso do ferro contínuo pode demorar meses ou anos (quando há perda sanguínea, como pela menstruação).

Procedimentos cirúrgicos

Não há justificativa para não levar um vegetariano ao centro cirúrgico apenas pelo fato de ele ser vegetariano. O receio de deiscência de anastomoses no vegetariano é infundado.

Prescrição nutricional

A divisão dos grupos de alimentos costuma ser diferente entre os vegetarianos. A recomendação quanto à ingestão das porções mínimas de cada grupo alimentar e o que corresponde a uma porção são:

- *Grupo dos cereais:* composto exclusivamente por cereais. Deve-se dar preferência ao consumo de cereais integrais. Uma porção corresponde a ½ xícara de grãos cozidos ou a 1 fatia de pão integral. Deve-se consumir no mínimo seis porções desse grupo diariamente. Para onívoros, os vegetais amiláceos entram nesse grupo, mas por conterem teor proteico bem menor que o dos cereais, acabam não sendo as melhores escolhas de alimentos contendo mais carboidratos.
- *Grupo dos alimentos ricos em proteína:* composto por leguminosas (feijões), oleaginosas, ovos e laticínios. Uma porção corresponde a ½ xícara de feijão cozido, ou a ¼ de xícara de nozes, ou a 1 ovo, ou a 1 xícara de leite. Deve-se ingerir no mínimo cinco porções desse grupo diariamente. Apesar de essa ser a classificação indicada em alguns estudos, há diferença considerável na composição nutricional desses produtos, sendo as leguminosas muito mais ricas em proteínas do que as oleaginosas. Além disso, as leguminosas também contêm teor de gordura muito menor do que os demais produtos, devendo ser priorizadas.
- *Grupo das hortaliças:* composto por verduras, legumes e vegetais amiláceos (batatas). Uma porção corresponde a 1 xícara de verduras cozidas ou 2 xícaras de verduras cruas, assim como 1 xícara de legumes picados ou de batatas. Deve-se consumir no mínimo quatro porções desse grupo diariamente, dando ênfase às hortaliças. Apesar de os vegetais amiláceos estarem aqui, eles servem para oferecer mais carboidratos quando necessário, lembrando que a obtenção de vitaminas e minerais é mais interessante utilizando as folhas desse grupo.
- *Grupo das frutas:* uma porção corresponde a 2 frutas, como maçã ou banana. Deve-se ingerir no mínimo duas porções desse grupo diariamente.
- *Grupo dos óleos:* uma porção corresponde a 1 colher (chá) de óleo de linhaça ou 3 colheres (chá) de óleo de soja ou de oliva (azeite). Deve-se consumir no mínimo duas porções desse grupo diariamente.

No planejamento da dieta, é preciso enfatizar o consumo de alimentos ricos em zinco e ferro; quando a dieta for vegetariana estrita, também o de cálcio.

Essa distribuição pode ser modificada de acordo com as necessidades nutricionais e a avaliação do profissional que acompanha o vegetariano.

CONCLUSÃO

A alimentação vegetariana não é uma alimentação única. Há diversas possibilidades tanto de estruturarmos um plano alimentar bastante saudável quanto outro nem tanto assim. Por isso, mesmo que a sua motivação para ser vegetariano seja ética ou ambiental, insisto que cuide e atente para a qualidade daquilo que come, de forma que você possa ser alguém que vai olhar com carinho para os animais e para o planeta de forma mais harmônica e saudável.

Desde a publicação da última edição deste livro, entrei em contato com informações muito importantes enquanto fazia minhas pesquisas para elaborar o *Guia alimentar vegetariano* em conjunto com a União Vegetariana Internacional (IVU). Vou usar então este espaço final para contar sobre os achados, inéditos até o momento.

Muitas pessoas acham que a alimentação onívora é segura e completa porque os produtos animais são boas fontes de cálcio, ferro, proteína de boa qualidade e outros nutrientes, mas não é bem assim. A verdade é que esses produtos só contêm esses nutrientes porque os animais recebem doses maciças de suplementos de todos eles. É isso mesmo, os animais recebem todos esses nutrientes de forma imposta e artificial. Vamos entender melhor.

A criação de animais em escala industrial está baseada no lucro para o produtor. Para maximizar esse lucro, é necessário gastar o mínimo possível com o animal, fazê-lo produzir (carne, ovos ou laticínios) o mais rápido e na maior quantidade possível. E isso tudo é obtido em condições extremas, sob as quais os animais sofrem severo estresse térmico e sanitário.

O confinamento exige que os animais sejam alimentados pelo meio externo, ou seja, é necessário oferecer-lhes ração, e é essa ração quem contém as vitaminas, minerais e proteínas de que o animal necessita na forma de suplementação sintética. É possível conferir a composição dessas rações no *site* dos fabricantes. Esse tipo de alimentação é indispensável para aumentar a resistência dos animais a doenças, reduzindo o número de mortes e por consequência causando menos prejuízos ao produtor.

No caso dos frangos, por exemplo, a quase totalidade da criação brasileira é feita em regime de confinamento, e a ração é o único alimento ofertado para as aves. São produtos que contêm aminoácidos sintéticos adicionados, assim como vitamina B12, ferro, iodo, selênio e todas as demais vitaminas e minerais. Ou seja, em uma dieta onívora, a própria fonte alimentar de proteína recebe suplemento de proteína! O mesmo ocorre com a vitamina B12.

Talvez alguém lhes pergunte: "Mas e o gado? Os animais vivem soltos no pasto, em criação extensiva!" Não podemos nos enganar: o gado também recebe suplementação.

Quando chove bastante, em especial no verão, o pasto cresce rapidamente e há abundância de alimento para o gado, mas, na época de seca (como no inverno), o pasto não cresce muito. De forma geral, durante metade do ano esses animais não encontram alimentação natural e, durante esse período (mas não só), recebem suplementação na forma de sal, que não é apenas cloreto de sódio, mas uma mistura de minerais, vitaminas e ureia.

No caso dos ruminantes (em especial os bovinos), a ureia fornece nitrogênio para que as bactérias das câmaras gástricas do animal produzam proteína; cada 100 gramas de ureia são capazes de gerar 280 gramas de proteína para o animal. E como alguns aminoácidos são sulfurados (metionina, cisteína e cistina), o enxofre também é adicionado ao sal para colaborar com formação das cadeias proteicas. Ainda, esses animais recebem suplementação de cobalto, que é o mineral utilizado pelas bactérias intestinais para formar a vitamina B12.

As vacas leiteiras também recebem suplemento, com adição de cálcio. Os fabricantes orientam o uso de 19.000 a 28.500 mg de cálcio ao dia por vaca leiteira, para que depois se possa ordenhar a média de 6,6 litros por dia, que contêm 6.600 mg de cálcio carregado de lactose e gordura saturada. Se pensarmos que um ser humano precisa de 1.000 mg de cálcio por dia, é possível notar o desperdício dessa prática, pois o cálcio usado como suplemento para as vacas poderia ser adaptado ao consumo humano (com a vantagem de não estar atrelado à gordura saturada ou lactose) e atender de 19 a 28 pessoas, mas, como os animais são atravessadores de nutrientes, usando uma parte para si e perdendo outra para o ambiente por meio de fezes e urina, só é possível suprir as necessidades de 6 pessoas.

Até os peixes recebem suplementação, pois a ração utilizada nas fazendas não contém DHA (a forma ativa de ômega-3), pois isso encareceria demais o produto final e inviabilizaria a compra pelo consumidor.

Ou seja, a suplementação é padrão para todos os nutrientes contidos nos produtos de avicultura, suinocultura, aquacultura e nos bovinos de corte ou leite.

Assim, o que gostaria que você tivesse em mente é que a dieta onívora só contém nutrientes porque suas principais fontes de proteína recebem suplementação pesada. Ou seja, os onívoros usam suplementação diariamente sem saber que usam, e isso é um desperdício de recursos.

Se alguém disser a você, que é ou está se tornando vegetariano, que a sua alimentação não é adequada porque você tem que tomar suplementos, já sabe o que responder.

A alimentação vegetariana é segura e envolve os mesmo cuidados que qualquer outra dieta. É a forma de se alimentar mais saudável que existe se comparada a dietas bem planejadas, pois, como vimos ao longo deste livro, seus resultados na prevenção e no tratamento das doenças são superiores aos obtidos com dietas onívoras bem planejadas. É a alimentação que traz mais impacto na proteção e preservação do meio ambiente. E é a alimentação mais compassiva que existe.

Desejo que este livro lhe sirva de guia, que seja de grande ajuda para abandonar a ilusão criada por um sistema alimentar que não revela o que há nos seus bastidores, e que lhe permita viver com a possibilidade de escolher construir um planeta mais sustentável, um corpo mais saudável e uma relação mais harmônica entre todas as espécies.

Foi um prazer compartilhar essas informações com você, leitor. Espero que possamos continuar essa troca pela vida afora.

AGRADECIMENTOS

Agradeço a todos os meus pacientes, que me permitiram entrar no mundo de cada um deles e, muitas vezes sem saber, ajudaram a transformar o meu.

Agradeço aos meus mestres, em especial ao meu amigo Antonio Cláudio Duarte, por me dar a honra de compartilhar sua sabedoria, acumulada durante anos de exercício profundamente técnico e afetivo da arte da medicina.

REFERÊNCIAS BIBLIOGRÁFICAS

Agnoli C, Baroni L, Bertini I, Ciappellano S, Fabbri A, Papa M, Pellegrini N, Sbarbati R, Scarino ML, Siani V, Sieri S. Position paper on vegetarian diets from the working group of the Italian Society of Human Nutrition. Nutr Metab Cardiovasc Dis. 2017 Dec;27(12):1037-1052. doi: 10.1016/j.numecd.2017.10.020. Epub 2017 Oct 31. PMID: 29174030.

Allen LH. Folate and vitamin B12 status in the Americas. Nutr Rev. 2004 Jun;62(6 Pt 2):S29-33; discussion S34. doi: 10.1111/j.1753-4887.2004.tb00069.x. PMID: 15298445.

Alpers DH. What is new in vitamin B(12)? Curr Opin Gastroenterol. 2005 Mar;21(2):183-6. doi: 10.1097/01.mog.0000148331.96932.44. PMID: 15711210.

Ambroszkiewicz J, Laskowska-Klita T, Klemarczyk W. Low serum leptin concentration in vegetarian prepubertal children. Rocz Akad Med Bialymst. 2004;49:103-5. PMID: 15631323.

American Dietetic Association; Dietitians of Canada. Position of the American Dietetic Association and Dietitians of Canada: Vegetarian diets. J Am Diet Assoc. 2003 Jun;103(6):748-65. doi: 10.1053/jada.2003.50142. PMID: 12778049.

American Heart Association. "Vegetarian Diets". Disponível em: http://216.185.112.5/presenter.jhtml?identifier=4777 . Acesso em 20 fev. 2010.

American Institute For Cancer Research. "Food for the Vegetarian Teen". Disponível em: http://www.aicr.org/site/News2?abbr=pr_&page=NewsArticle&id=7453 . Acesso em 20 fev. 2010.

Amit M. Vegetarian diets in children and adolescents. Paediatr Child Health. 2010 May;15(5):303-14. PMID: 21532796; PMCID: PMC2912628.

Andrès E, Loukili NH, Noel E, Kaltenbach G, Abdelgheni MB, Perrin AE, Noblet-Dick M, Maloisel F, Schlienger JL, Blicklé JF. Vitamin B12 (cobalamin) deficiency in elderly patients. CMAJ. 2004 Aug 3;171(3):251-9. doi: 10.1503/cmaj.1031155. PMID: 15289425; PMCID: PMC490077.

Appleby PN, Thorogood M, Mann JI, Key TJ. The Oxford Vegetarian Study: an overview. Am J Clin Nutr. 1999 Sep;70(3 Suppl):525S-531S. doi: 10.1093/ajcn/70.3.525s. PMID: 10479226.

Barnard ND, Cohen J, Jenkins DJ, Turner-McGrievy G, Gloede L, Green A, Ferdowsian H. A low-fat vegan diet and a conventional diabetes diet in the treatment of type 2 diabetes: a randomized, controlled, 74-wk clinical trial. Am J Clin Nutr. 2009 May;89(5):1588S-1596S. doi: 10.3945/ajcn.2009.26736H. Epub 2009 Apr 1. PMID: 19339401; PMCID: PMC2677007.

Barnard ND, Cohen J, Jenkins DJ, Turner-McGrievy G, Gloede L, Jaster B, Seidl K, Green AA, Talpers S. A low-fat vegan diet improves glycemic control and cardiovascular risk factors in a randomized clinical trial in individuals with type 2 diabetes. Diabetes Care. 2006 Aug;29(8):1777-83. doi: 10.2337/dc06-0606. PMID: 16873779.

Barnard ND, Gloede L, Cohen J, Jenkins DJ, Turner-McGrievy G, Green AA, Ferdowsian H. A low-fat vegan diet elicits greater macronutrient changes, but is comparable in adherence and acceptability, compared with a more conventional diabetes diet among individuals with type 2 diabetes. J Am Diet Assoc. 2009 Feb;109(2):263-72. doi: 10.1016/j.jada.2008.10.049. PMID: 19167953; PMCID: PMC2680723.

Barr SI, Broughton TM. Relative weight, weight loss efforts and nutrient intakes among health-conscious vegetarian, past vegetarian and nonvegetarian women ages 18 to 50. J Am Coll Nutr. 2000 Nov-Dec;19(6):781-8. doi: 10.1080/07315724.2000.10718078. PMID: 11194532.

Berkelhamer JE, Thorp FK, Cobbs S. Letter: Kwashiorkor in Chicago. Am J Dis Child. 1975 Oct;129(10):1240. PMID: 1190155.

Bissoli L, Di Francesco V, Ballarin A, Mandragona R, Trespidi R, Brocco G, Caruso B, Bosello O, Zamboni M. Effect of vegetarian diet on homocysteine levels. Ann Nutr Metab. 2002;46(2):73-9. doi: 10.1159/000057644. PMID: 12011576.

Brasil. Ministério da Saúde. Secretaria de Atenção à Saúde. Departamento de Atenção Básica. *Guia alimentar para a população brasileira*. 2. ed. Brasília: Ministério da Saúde, 2014. Disponível em http://bvsms.saude.gov.br/bvs/publicacoes/guia_alimentar_populacao_brasileira_2ed.pdf . Acesso em abr.2021.

Brown PT, Bergan JG. The dietary status of "new" vegetarians. J Am Diet Assoc. 1975 Nov;67(5):455-9. PMID: 1242137.

Carlsen MH, Halvorsen BL, Holte K, Bøhn SK, Dragland S, Sampson L, Willey C, Senoo H, Umezono Y, Sanada C, Barikmo I, Berhe N, Willett WC, Phillips KM, Jacobs DR Jr, Blomhoff R. The total antioxidant content of more than 3100 foods, beverages, spices, herbs and supplements used worldwide. Nutr J. 2010 Jan 22;9:3. doi: 10.1186/1475-2891-9-3. PMID: 20096093; PMCID: PMC2841576.

Craig WJ, Mangels AR; American Dietetic Association. Position of the American Dietetic Association: vegetarian diets. J Am Diet Assoc. 2009 Jul;109(7):1266-82. doi: 10.1016/j.jada.2009.05.027. PMID: 19562864.

Croft MT, Lawrence AD, Raux-Deery E, Warren MJ, Smith AG. Algae acquire vitamin B12 through a symbiotic relationship with bacteria. Nature. 2005 Nov 3;438(7064):90-3. doi: 10.1038/nature04056. PMID: 16267554.

Cullum-Dugan D, Pawlak R. Position of the academy of nutrition and dietetics: vegetarian diets. J Acad Nutr Diet. 2015 May;115(5):801-10. doi: 10.1016/j.jand.2015.02.033. Retraction in: J Acad Nutr Diet. 2015 Aug;115(8):1347. PMID: 25911342.

Departamento de Agricultura dos Estados Unidos. "Agriculture. Vegetarian Choices". Disponível em: http://www.mypyramid.gov/pyramid/vegetarian.html . Acesso em 20 fev. 2010.

Desouza C, Keebler M, McNamara DB, Fonseca V. Drugs affecting homocysteine metabolism: impact on cardiovascular risk. Drugs. 2002;62(4):605-16. doi: 10.2165/00003495-200262040-00005. PMID: 11893229.

Dwyer JT, Dietz WH Jr, Hass G, Suskind R. Risk of nutritional rickets among vegetarian children. Am J Dis Child. 1979 Feb;133(2):134-40. doi: 10.1001/archpedi.1979.02130020024004. PMID: 420181.

Dwyer JT, Miller LG, Arduino NL, Andrew EM, Dietz WH Jr, Reed JC, Reed HB Jr. Mental age and I.Q. of predominantly vegetarian children. J Am Diet Assoc. 1980 Feb;76(2):142-7. PMID: 7391449.

FAO/OMS/UNU Expert Consultation. "Energy and Protein Requirements". 1985. Disponível em: http://www.fao.org/DOCREP/003/AA040E/AA040E00.HTM [atualizado em 1991]. Acesso em abr. 2021.

Ferdowsian HR, Barnard ND. Effects of plant-based diets on plasma lipids. Am J Cardiol. 2009 Oct 1;104(7):947-56. doi: 10.1016/j.amjcard.2009.05.032. PMID: 19766762

Food and Agriculture Organization of The United Nations. "Livestock a Major Threat to Environment". Disponível em: http://www.fao.org/newsroom/en/news/2006/1000448/ . Acesso em abr.2021.

Foster M, Samman S. Vegetarian diets across the lifecycle: impact on zinc intake and status. Adv Food Nutr Res. 2015;74:93-131. doi: 10.1016/bs.afnr.2014.11.003. Epub 2015 Jan 7. PMID: 25624036.

Fraser GE. Associations between diet and cancer, ischemic heart disease, and all-cause mortality in non-Hispanic white California Seventh-day Adventists. Am J Clin Nutr. 1999 Sep;70(3 Suppl):532S-538S. doi: 10.1093/ajcn/70.3.532s. PMID: 10479227.

Fulton JR, Hutton CW, Stitt KR. Preschool vegetarian children. Dietary and anthropometric data. J Am Diet Assoc. 1980 Apr;76(4):360-5. PMID: 7391470.

Garber AJ, Handelsman Y, Grunberger G, Einhorn D, Abrahamson MJ, Barzilay JI, Blonde L, Bush MA, DeFronzo RA, Garber JR, Garvey WT, Hirsch IB, Jellinger PS, McGill JB, Mechanick JI, Perreault L, Rosenblit PD, Samson S, Umpierrez GE. Consensus Statement By The American Association Of Clinical Endocrinologists And American College Of Endocrinology On The Comprehensive Type 2 Diabetes Management Algorithm - 2020 EXECUTIVE SUMMARY. Endocr Pract. 2020 Jan;26(1):107-139. doi: 10.4158/CS-2019-0472. PMID: 32022600.

Gromada J, Brock B, Schmitz O, Rorsman P. Glucagon-like peptide-1: regulation of insulin secretion and therapeutic potential. Basic Clin

Pharmacol Toxicol. 2004 Dec;95(6):252-62. doi: 10.1111/j.1742-7843.2004.t01-1-pto950502.x. PMID: 15569269.

Haddad EH, Berk LS, Kettering JD, Hubbard RW, Peters WR. Dietary intake and biochemical, hematologic, and immune status of vegans compared with nonvegetarians. Am J Clin Nutr. 1999 Sep;70(3 Suppl):586S-593S. doi: 10.1093/ajcn/70.3.586s. PMID: 10479236.

Haddad EH, Tanzman JS. What do vegetarians in the United States eat? Am J Clin Nutr. 2003 Sep;78(3 Suppl):626S-632S. doi: 10.1093/ajcn/78.3.626S. PMID: 12936957.

Havala S, Dwyer J. Position of the American Dietetic Association: vegetarian diets. J Am Diet Assoc. 1993 Nov;93(11):1317-9. doi: 10.1016/0002-8223(93)91966-t. Errata em: J Am Diet Assoc. 1994 Jan;94(1):19. PMID: 8227888.

Hebbelinck M, Clarys P, De Malsche A. Growth, development, and physical fitness of Flemish vegetarian children, adolescents, and young adults. Am J Clin Nutr. 1999 Sep;70(3 Suppl):579S-585S. doi: 10.1093/ajcn/70.3.579s. PMID: 10479235.

Herrmann W, Geisel J. Vegetarian lifestyle and monitoring of vitamin B-12 status. Clin Chim Acta. 2002 Dec;326(1-2):47-59. doi: 10.1016/s0009-8981(02)00307-8. PMID: 12417096.

Herrmann W, Schorr H, Obeid R, Geisel J. Vitamin B-12 status, particularly holotranscobalamin II and methylmalonic acid concentrations, and hyperhomocysteinemia in vegetarians. Am J Clin Nutr. 2003 Jul;78(1):131-6. doi: 10.1093/ajcn/78.1.131. PMID: 12816782.

Huang T, Yang B, Zheng J, Li G, Wahlqvist ML, Li D. Cardiovascular disease mortality and cancer incidence in vegetarians: a meta-analysis and systematic review. Ann Nutr Metab. 2012;60(4):233-40. doi: 10.1159/000337301. Epub 2012 Jun 1. PMID: 22677895.

Huang YC, Chang SJ, Chiu YT, Chang HH, Cheng CH. The status of plasma homocysteine and related B-vitamins in healthy young vegetarians and nonvegetarians. Eur J Nutr. 2003 Apr;42(2):84-90. doi: 10.1007/s00394-003-0387-5. PMID: 12638029.

Hung CJ, Huang PC, Li YH, Lu SC, Ho LT, Chou HF. Taiwanese vegetarians have higher insulin sensitivity than omnivores. Br J Nutr. 2006 Jan;95(1):129-35. doi: 10.1079/bjn20051588. PMID: 16441925.

Hunt JR. Bioavailability of iron, zinc, and other trace minerals from vegetarian diets. Am J Clin Nutr. 2003 Sep;78(3 Suppl):633S-639S. doi: 10.1093/ajcn/78.3.633S. PMID: 12936958.

Institute of Medicine of the National Academies (IOM). "Dietary Reference Intakes. Vitamins". Disponível em: http://www.iom.edu/Activities/Nutrition/SummaryDRIs/~/media/Files/Activity%20Files/Nutrition/DRIs/DRI_Vitamins.ashx. Acesso 14 fev. 2010.

International Vegetarian Union (IVU). About IVU. Disponível em: https://ivu.org/ivu-bylaws/about-ivu.html. Acesso em abr. 2021

International Vegetarian Union (IVU). History of Vegetarianism. The Origins of Some Words. Disponível em: http://www.ivu.org/history/renaissance/words.html. Acesso em abr.2021.

Kahleova H, Matoulek M, Malinska H, Oliyarnik O, Kazdova L, Neskudla T, Skoch A, Hajek M, Hill M, Kahle M, Pelikanova T. Vegetarian diet improves insulin resistance and oxidative stress markers more than conventional diet in subjects with Type 2 diabetes. Diabet Med. 2011 May;28(5):549-59. doi: 10.1111/j.1464-5491.2010.03209.x. PMID: 21480966; PMCID: PMC3427880.

Kazimírová A, Barancoková M, Volkovová K, Staruchová M, Krajcovicová-Kudlácková M, Wsólová L, Collins AR, Dusinská M. Does a vegetarian diet influence genomic stability? Eur J Nutr. 2004 Feb;43(1):32-8. doi: 10.1007/s00394-004-0436-8. Epub 2004 Jan 6. PMID: 14991267.

Key TJ, Fraser GE, Thorogood M, Appleby PN, Beral V, Reeves G, Burr ML, Chang-Claude J, Frentzel-Beyme R, Kuzma JW, Mann J, McPherson K. Mortality in vegetarians and nonvegetarians: detailed findings from a collaborative analysis of 5 prospective studies. Am J Clin Nutr. 1999 Sep;70(3 Suppl):516S-524S. doi: 10.1093/ajcn/70.3.516s. PMID: 10479225.

Kids Health. "Vegetarianism". Disponível em: http://kidshealth.org/parent/nutrition_fit/nutrition/vegetarianism.html. Acesso em 20 fev. 2010.

Kim Y, Keogh J, Clifton P. A review of potential metabolic etiologies of the observed association between red meat consumption and development of type 2 diabetes mellitus. Metabolism. 2015 Jul;64(7):768-79. doi: 10.1016/j.metabol.2015.03.008. Epub 2015 Mar 19. PMID: 25838035.

Klopp SA, Heiss CJ, Smith HS. Self-reported vegetarianism may be a marker for college women at risk for disordered eating. J Am Diet Assoc. 2003 Jun;103(6):745-7. doi: 10.1053/jada.2003.50139. PMID: 12778048.

Knutsen SF. Lifestyle and the use of health services. Am J Clin Nutr. 1994 May;59(5 Suppl):1171S-1175S. doi: 10.1093/ajcn/59.5.1171S. PMID: 8172119.

Koeth RA, Lam-Galvez BR, Kirsop J, Wang Z, Levison BS, Gu X, Copeland MF, Bartlett D, Cody DB, Dai HJ, Culley MK, Li XS, Fu X, Wu Y, Li L, DiDonato JA, Tang WHW, Garcia-Garcia JC, Hazen SL. l-Carnitine in omnivorous diets induces an atherogenic gut microbial pathway in humans. J Clin Invest. 2019 Jan 2;129(1):373-387. doi: 10.1172/JCI94601. Epub 2018 Dec 10. PMID: 30530985; PMCID: PMC6307959.

Koeth RA, Wang Z, Levison BS, Buffa JA, Org E, Sheehy BT, Britt EB, Fu X, Wu Y, Li L, Smith JD, DiDonato JA, Chen J, Li H, Wu GD, Lewis JD, Warrier M, Brown JM, Krauss RM, Tang WH, Bushman FD, Lusis AJ, Hazen SL. Intestinal microbiota metabolism of L-carnitine, a nutrient in red meat, promotes atherosclerosis. Nat Med. 2013 May;19(5):576-85. doi: 10.1038/nm.3145. Epub 2013 Apr 7. PMID: 23563705; PMCID: PMC3650111.

Krajcovicová-Kudlácková M, Blazícek P, Babinská K, Kopcová J, Klvanová J, Béderová A, Magálová T. Traditional and alternative nutrition--levels of homocysteine and lipid parameters in adults. Scand J Clin Lab Invest. 2000 Dec;60(8):657-64. doi: 10.1080/00365510050216385. PMID: 11218148.

Krajcovicová-Kudlácková M, Blazícek P, Kopcová J, Béderová A, Babinská K. Homocysteine levels in vegetarians versus omnivores. Ann Nutr Metab. 2000;44(3):135-8. doi: 10.1159/000012827. PMID: 11053901.

Krajcovicová-Kudlácková M, Dusinská M. Oxidative DNA damage in relation to nutrition. Neoplasma. 2004;51(1):30-3. PMID: 15004656.

Kuo CS, Lai NS, Ho LT, Lin CL. Insulin sensitivity in Chinese ovo-lactovegetarians compared with omnivores. Eur J Clin Nutr. 2004 Feb;58(2):312-6. doi: 10.1038/sj.ejcn.1601783. PMID: 14749752.

Lee HY, Woo J, Chen ZY, Leung SF, Peng XH. Serum fatty acid, lipid profile and dietary intake of Hong Kong Chinese omnivores and vegetarians. Eur J Clin Nutr. 2000 Oct;54(10):768-73. doi: 10.1038/sj.ejcn.1601089. PMID: 11083485.

Leung SS, Lee RH, Sung RY, Luo HY, Kam CW, Yuen MP, Hjelm M, Lee SH. Growth and nutrition of Chinese vegetarian children in Hong Kong. J Paediatr Child Health. 2001 Jun;37(3):247-53. doi: 10.1046/j.1440-1754.2001.00647.x. PMID: 11468039.

Li D, Sinclair A, Mann N, Turner A, Ball M, Kelly F, Abedin L, Wilson A. The association of diet and thrombotic risk factors in healthy male vegetarians and meat-eaters. Eur J Clin Nutr. 1999 Aug;53(8):612-9. doi: 10.1038/sj.ejcn.1600817. PMID: 10477247.

Lin CL, Fang TC, Gueng MK. Vascular dilatory functions of ovo-lactovegetarians compared with omnivores. Atherosclerosis. 2001 Sep;158(1):247-51. doi: 10.1016/s0021-9150(01)00429-4. PMID: 11500198.

Loma Linda University. "Vegan Food Guide". Disponível em: http://kidshealth.org/PageManager.jsp?dn=lluch&lic=222&cat_id=20132&article_set=55903&tracking=T_RelatedArticle . Acesso em 20 fev. 2010.

Manjari V, Suresh Y, Sailaja Devi MM, Das UN. Oxidant stress, anti-oxidants and essential fatty acids in South Indian vegetarians and non-vegetarians. Prostaglandins Leukot Essent Fatty Acids. 2001 Jan;64(1):53-9. doi: 10.1054/plef.2000.0237. PMID: 11161585.

Mayo Clinic. "Vegetarian diet: How to get the best nutrition". Disponível em: http://www.mayoclinic.com/health/vegetarian-diet/HQ01596. Acesso em abr. 2021.

McCarty MF. Vegan proteins may reduce risk of cancer, obesity, and cardiovascular disease by promoting increased glucagon activity. Med Hypotheses. 1999 Dec;53(6):459-85. doi: 10.1054/mehy.1999.0784. PMID: 10687887.

McDougall J. Plant foods have a complete amino acid composition. Circulation. 2002 Jun 25;105(25):e197; author reply e197. doi: 10.1161/01.cir.0000018905.97677.1f. PMID: 12082008.

Medline Plus. "Vegetarian Diet". Disponível em: http://www.nlm.nih.gov/medlineplus/vegetariandiet.html. Acesso em abr. 2021.

Melby CL, Hyner GC, Zoog B. "Blood Pressure in Vegetarians and Non-Vegetarians: A Cross-Sectional Analysis". Nutr. Res., 5, 1985, pp. 1077-82.

Mezzano D, Muñoz X, Martínez C, Cuevas A, Panes O, Aranda E, Guasch V, Strobel P, Muñoz B, Rodríguez S, Pereira J, Leighton F. Vegetarians and cardiovascular risk factors: hemostasis, inflammatory markers and plasma homocysteine. Thromb Haemost. 1999 Jun;81(6):913-7. PMID: 10404767.

Müller P. Vegan Diet in Young Children. Nestle Nutr Inst Workshop Ser. 2020;93:103-110. doi: 10.1159/000503348. Epub 2020 Jan 28. PMID: 31991425.

Nathan I, Hackett AF, Kirby S. A longitudinal study of the growth of matched pairs of vegetarian and omnivorous children, aged 7-11 years, in the north-west of England. Eur J Clin Nutr. 1997 Jan;51(1):20-5. doi: 10.1038/sj.ejcn.1600354. PMID: 9023462.

Neumark-Sztainer D, Story M, Resnick MD, Blum RW. Adolescent vegetarians. A behavioral profile of a school-based population in Minnesota. Arch Pediatr Adolesc Med. 1997 Aug;151(8):833-8. doi: 10.1001/archpedi.1997.02170450083014. PMID: 9265888.

Newby PK, Tucker KL, Wolk A. Risk of overweight and obesity among semivegetarian, lactovegetarian, and vegan women. Am J Clin Nutr. 2005 Jun;81(6):1267-74. doi: 10.1093/ajcn/81.6.1267. PMID: 15941875.

Obeid R, Geisel J, Schorr H, Hübner U, Herrmann W. The impact of vegetarianism on some haematological parameters. Eur J Haematol. 2002 Nov-Dec;69(5-6):275-9. doi: 10.1034/j.1600-0609.2002.02798.x. PMID: 12460231.

O'Connor MA, Touyz SW, Dunn SM, Beumont PJ. Vegetarianism in anorexia nervosa? A review of 116 consecutive cases. Med J Aust. 1987 Dec 7-21;147(11-12):540-2. PMID: 3696039.

Ophir O, Peer G, Gilad J, Blum M, Aviram A. Low blood pressure in vegetarians: the possible role of potassium. Am J Clin Nutr. 1983 May;37(5):755-62. doi: 10.1093/ajcn/37.5.755. PMID: 6846214.

Ornish D, Scherwitz LW, Billings JH, Brown SE, Gould KL, Merritt TA, Sparler S, Armstrong WT, Ports TA, Kirkeeide RL, Hogeboom C, Brand RJ. Intensive lifestyle changes for reversal of coronary heart disease. JAMA. 1998 Dec 16;280(23):2001-7. doi: 10.1001/jama.280.23.2001. Erratum in: JAMA 1999 Apr 21;281(15):1380. PMID: 9863851.

Phillips RL, Lemon FR, Beeson WL, Kuzma JW. Coronary heart disease mortality among Seventh-Day Adventists with differing dietary habits: a preliminary report. Am J Clin Nutr. 1978 Oct;31(10 Suppl):S191-S198. doi: 10.1093/ajcn/31.10.S191. PMID: 707372.

Pongstaporn W, Bunyaratavej A. Hematological parameters, ferritin and vitamin B12 in vegetarians. J Med Assoc Thai. 1999 Mar;82(3):304-11. PMID: 10410487.

Rand WM, Pellett PL, Young VR. Meta-analysis of nitrogen balance studies for estimating protein requirements in healthy adults. Am J Clin Nutr. 2003 Jan;77(1):109-27. doi: 10.1093/ajcn/77.1.109. PMID: 12499330.

Roberts IF, West RJ, Ogilvie D, Dillon MJ. Malnutrition in infants receiving cult diets: a form of child abuse. Br Med J. 1979 Feb 3;1(6159):296-8. doi: 10.1136/bmj.1.6159.296. PMID: 105778; PMCID: PMC1597704.

Robson JR, Konlande JE, Larkin FA, O'Connor PA, Liu HY. Zen macrobiotic dietary problems in infancy. Pediatrics. 1974 Mar;53(3):326-9. PMID: 4205579.

Rosell MS, Lloyd-Wright Z, Appleby PN, Sanders TA, Allen NE, Key TJ. Long-chain n-3 polyunsaturated fatty acids in plasma in British meat-eating, vegetarian, and vegan men. Am J Clin Nutr. 2005 Aug;82(2):327-34. doi: 10.1093/ajcn.82.2.327. PMID: 16087975.

Rouse IL, Beilin LJ, Mahoney DP, Margetts BM, Armstrong BK, Record SJ, Vandongen R, Barden A. Nutrient intake, blood pressure, serum and urinary prostaglandins and serum thromboxane B2 in a controlled trial with a lacto-ovo-vegetarian diet. J Hypertens. 1986 Apr;4(2):241-50. doi: 10.1097/00004872-198604000-00016. PMID: 3011891.

Sabaté J, Harwatt H, Soret S. Environmental Nutrition: A New Frontier for Public Health. Am J Public Health. 2016 May;106(5):815-21. doi: 10.2105/AJPH.2016.303046. Epub 2016 Mar 17. PMID: 26985617; PMCID: PMC4985113.

Sacks FM, Castelli WP, Donner A, Kass EH. Plasma lipids and lipoproteins in vegetarians and controls. N Engl J Med. 1975 May 29;292(22):1148-51. doi: 10.1056/NEJM197505292922203. PMID: 164628.

Sanders TA. Essential fatty acid requirements of vegetarians in pregnancy, lactation, and infancy. Am J Clin Nutr. 1999 Sep;70(3 Suppl):555S-559S. doi: 10.1093/ajcn/70.3.555s. PMID: 10479231.

Santoro S, Velhote MC, Malzoni CE, Milleo FQ, Klajner S, Campos FG. Preliminary results from digestive adaptation: a new surgical proposal for treating obesity, based on physiology and evolution. Sao Paulo Med J. 2006 Jul 6;124(4):192-7. doi: 10.1590/s1516-31802006000400004. PMID: 17086299.

Schürmann S, Kersting M, Alexy U. Vegetarian diets in children: a systematic review. Eur J Nutr. 2017 Aug;56(5):1797-1817. doi: 10.1007/s00394-017-1416-0. Epub 2017 Mar 15. PMID: 28299420.

Sciarrone SE, Strahan MT, Beilin LJ, Burke V, Rogers P, Rouse IL. Biochemical and neurohormonal responses to the introduction of a lacto-ovovegetarian diet. J Hypertens. 1993 Aug;11(8):849-60. doi: 10.1097/00004872-199308000-00012. PMID: 8228209.

Shah B, Newman JD, Woolf K, Ganguzza L, Guo Y, Allen N, Zhong J, Fisher EA, Slater J. Anti-Inflammatory Effects of a Vegan Diet Versus the American Heart Association-Recommended Diet in Coronary Artery Disease Trial. J Am Heart Assoc. 2018 Dec 4;7(23):e011367. doi: 10.1161/JAHA.118.011367. PMID: 30571591; PMCID: PMC6405545.

Shull MW, Reed RB, Valadian I, Palombo R, Thorne H, Dwyer JT. Velocities of growth in vegetarian preschool children. Pediatrics. 1977 Oct;60(4):410-7. PMID: 905003.

Siani V, Mohamed EI, Maiolo C, Di Daniele N, Ratiu A, Leonardi A, De Lorenzo A. Body composition analysis for healthy Italian vegetarians. Acta Diabetol. 2003 Oct;40 Suppl 1:S297-8. doi: 10.1007/s00592-003-0091-1. PMID: 14618498.

Slywitch, E. "Avaliação nutricional em vegetarianos". In DUARTE, ACG. *Avaliação nutricional: aspectos clínicos e laboratoriais*. São Paulo: Atheneu, 2007, pp. 195-211.

Snowdon DA, Phillips RL. Does a vegetarian diet reduce the occurrence of diabetes? Am J Public Health. 1985 May;75(5):507-12. doi: 10.2105/ajph.75.5.507. PMID: 3985239; PMCID: PMC1646264.

Sociedade Vegetariana Brasileira (SVB). Estatutos da Sociedade Vegetariana Brasileira, Florianópolis, 15 ago. 2003 [atualizada em 21 mai. 2007]. Disponível em: http://www.svb.org.br/vegetarianismo/index.php?option=com_content&view=article&id=64&Itemid=50. Acesso em 15. fev. 2010.

Spencer EA, Appleby PN, Davey GK, Key TJ. Diet and body mass index in 38000 EPIC-Oxford meat-eaters, fish-eaters, vegetarians and vegans. Int J Obes Relat Metab Disord. 2003 Jun;27(6):728-34. doi: 10.1038/sj.ijo.0802300. PMID: 12833118.

Stabler SP, Allen RH. Vitamin B12 deficiency as a worldwide problem. Annu Rev Nutr. 2004;24:299-326. doi: 10.1146/annurev.nutr.24.012003.132440. PMID: 15189123.

Stahler, C. "How Many Adults Are Vegetarian?". The Vegetarian Resource Group Web Site, c.1996-2009 [atualizada em 20 mar. 2006]. Disponível em: http://www.vrg.org/journal/vj2006issue4/vj2006issue4poll.htm. Acesso em 15 fev. 2010.

Szeto YT, Kwok TC, Benzie IF. Effects of a long-term vegetarian diet on biomarkers of antioxidant status and cardiovascular disease risk. Nutrition. 2004 Oct;20(10):863-6. doi: 10.1016/j.nut.2004.06.006. PMID: 15474873.

Tabela Brasileira de Composição de Alimentos (TBCA). Universidade de São Paulo (USP). Food Research Center (FoRC). Versão 7.1. São Paulo, 2020. Disponível em: http://www.fcf.usp.br/tbca. Acesso em abr. 2021.

Tantamango-Bartley Y, Jaceldo-Siegl K, Fan J, Fraser G. Vegetarian diets and the incidence of cancer in a low-risk population. Cancer Epidemiol Biomarkers Prev. 2013 Feb;22(2):286-94. doi: 10.1158/1055-9965.EPI-12-1060. Epub 2012 Nov 20. PMID: 23169929; PMCID: PMC3565018.

Thorogood M, McPherson K, Mann J. Relationship of body mass index, weight and height to plasma lipid levels in people with different diets in Britain. Community Med. 1989 Aug;11(3):230-3. doi: 10.1093/oxfordjournals.pubmed.a042472. PMID: 2605890.

Turesky RJ. Mechanistic Evidence for Red Meat and Processed Meat Intake and Cancer Risk: A Follow-up on the International Agency for Research on Cancer Evaluation of 2015. Chimia (Aarau). 2018 Oct 31;72(10):718-724. doi: 10.2533/chimia.2018.718. PMID: 30376922; PMCID: PMC6294997.

U.S. FDA/Center for Food Safety and Applied Nutrition. "Nutrition and Your Health: Dietary Guidelines for Americans. Disponível em: http://www.fda.gov/ohrms/dockets/dailys/00/mar00/030600/emc0002.rtf. Acesso em set. 2008.

UGA College of Family and Consumer Sciences Cooperative Extension Service. "Vegetarianism". Disponível em: http://www.fcs.uga.edu/pubs/current/FDNS-E-18.html. Acesso em set. 2008.

USDA. Seeds, chia seeds, dried. 4/1/2019: p. Disponível em: https://fdc.nal.usda.gov/fdc-app.html#/fooddetails/170554/nutrients. Acesso em: abr. 2021.

Valachovicová M, Krajcovicová-Kudlácková M, Blazícek P, Babinská K. No evidence of insulin resistance in normal weight vegetarians.

A case control study. Eur J Nutr. 2006 Feb;45(1):52-4. doi: 10.1007/s00394-005-0563-x. Epub 2005 Jun 10. PMID: 15940383.

Varela-Moreiras G, Murphy MM, Scott JM. Cobalamin, folic acid, and homocysteine. Nutr Rev. 2009 May;67 Suppl 1:S69-72. doi: 10.1111/j.1753-4887.2009.00163.x. PMID: 19453682.

Wang F, Zheng J, Yang B, Jiang J, Fu Y, Li D. Effects of Vegetarian Diets on Blood Lipids: A Systematic Review and Meta-Analysis of Randomized Controlled Trials. J Am Heart Assoc. 2015 Oct 27;4(10):e002408. doi: 10.1161/JAHA.115.002408. PMID: 26508743; PMCID: PMC4845138.

Weder S, Hoffmann M, Becker K, Alexy U, Keller M. Energy, Macronutrient Intake, and Anthropometrics of Vegetarian, Vegan, and Omnivorous Children (1"3 Years) in Germany (VeChi Diet Study). Nutrients. 2019 Apr 12;11(4):832. doi: 10.3390/nu11040832. PMID: 31013738; PMCID: PMC6521189.

Worldwatch Institute. "Fire Up the Grill for a Mouthwatering Red, White and Green July 4th. Disponível em: http://www.worldwatch.org/node/1770. Acesso em 20 mar. 2010.

Worldwatch Institute. "Livestock Emissions: Still Grossly Underestimated". Disponível em: http://www.worldwatch.org/node/6297. Acesso em 20 mar. 2010.

Yen CE, Yen CH, Huang MC, Cheng CH, Huang YC. Dietary intake and nutritional status of vegetarian and omnivorous preschool children and their parents in Taiwan. Nutr Res. 2008 Jul;28(7):430-6. doi: 10.1016/j.nutres.2008.03.012. PMID: 19083442.

Young VR, Pellett PL. Plant proteins in relation to human protein and amino acid nutrition. Am J Clin Nutr. 1994 May;59(5 Suppl):1203S-1212S. doi: 10.1093/ajcn/59.5.1203S. PMID: 8172124.

Zmora E, Gorodischer R, Bar-Ziv J. Multiple nutritional deficiencies in infants from a strict vegetarian community. Am J Dis Child. 1979 Feb;133(2):141-4. doi: 10.1001/archpedi.1979.02130020031005. PMID: 105630.

Acesse o QR Code
para conhecer outros
livros do autor.

Compartilhe a sua opinião
sobre este livro usando a hashtag
#VireiVegetarianoEAgora?
nas nossas redes sociais: